À _____,
COLLÈGUE,
CES SOUVENIRS
D'UNE ÎLE OÙ
MYTHE, HISTOIRE ET FOLIE
FONT BON MÉNAGE.

15 JUIN 1998

HIBISCUS

DU MÊME AUTEUR

Ouvrages :

Civilisation romaine I, Montréal, S. E. P., 1968.
Civilisation romaine II, Montréal, S. E. P., 1968.
Virgile, Concordance I, Montréal, P. U. M., et Rome, Ateneo, 1982.
Virgile, Concordance II, Montréal, P. U. M., et Rome, Ateneo, 1982.
Les mythographes de l'Antiquité gréco-romaine, Montréal, L. U. M., 1984.
Au théâtre avec Plaute et Térence, Montréal, L. U. M., 1984.
Les flamines et leurs dieux (avec P. Seguin), Montréal, Musae, 1993.
Le vocabulaire de Virgile, Montréal, Musae, 1996.
La trifonction indo-européenne dans l'Énéide (avec K. Castor), Montréal,
    Musae, 1996.
Jeu et amitié dans l'Énéide (avec K. Castor), Montréal, Musae, 1997.

Collectifs et revues :

« *Numen*, réflexions sur sa nature et son rôle », *RCCM*, Rome, Ateneo, 1971.
« Le *numen* chez Ovide » (avec P. Leblanc), *RCCM*, Rome, Ateneo, 1973.
« Poesia e musica dei canti popolari », Pescara, *Trimestre*, 1973.
« La mythologie du lai 'les deux amants' », *RCCM*, Rome, Ateneo, 1974.
« La pomme dans la mythologie gréco-romaine », *Mélanges Maurice Lebel*,
    Québec, Le Sphinx, 1980.
« La notion de *Fides* dans Catulle et les élégiaques latins », *RCCM*, Rome,
    Ateneo, 1982.
« *Deos... esse nemo negat* », *Mélanges Étienne Gareau*, Ottawa, Presses
    Universitaires d'Ottawa, 1982.
« Le *numen* dans la poésie de Virgile », *RCCM*, Rome, Ateneo, 1983.
« Mythe et société selon Malinowski », *RCCM*, Rome, Ateneo, 1984.
« Il concetto di *Fatum* nell'*Eneide* », *RCCM*, Rome, Ateneo, 1984.
« Images de Trinacrie », *Trois*, Montréal, Trois, 1988.
« L'île aux cent visages », *Mélanges Ernest Pascal*, Québec, Département des
    littératures, Université Laval, 1990.
« Le vin dans l'oeuvre lyrique d'Horace », *Mélanges Rodrigue Larue*, Trois-
    Rivières, Département des sciences humaines, UQTR, 1991.
« Gli amori di Zeus », *RCCM*, Rome, Ateneo, 1992.
« L'asino accarezza l'asino », *L'asino immortale*, S. Teresa di Riva, Bocca-
    vento N.U., 1996.
« La trifonction indo-européenne à Rome » (avec K. Castor), *RCCM*, Rome,
    Ateneo, 1996.

BIBLIOTHÈQUE « NOVA ET VETERA »
4

DOMENICO FASCIANO

HIBISCUS
IMAGES DE TRINACRIE
Poèmes

MCMXCVIII
LES ÉDITIONS MUSAE

Couverture :
Mieux que toute autre plante, l'*hibiscus* traduit la chaleur lumineuse de la Sicile et la couleur sensuelle d'un poème. Ses fleurs, qui ne durent qu'une journée, sont veloutées et éphémères comme les frissons voluptueux des mots.
Photo de Domenico Fasciano.

Conception graphique et composition :
Musaegraph, Montréal.

Illustrations :
Dessins originaux : Nino Ucchino.
Photos : Domenico Fasciano.

Révision linguistique :
Sylvie Drolet.

Distribution internationale :
L'Erma di Bretschneider
Via Cassiodoro, 19
00193 Rome - Italie
Tél. : (06) 687 4127 ; télécopieur : (06) 687 4129.

Distribution nationale :
Les Éditions Musae
330, Avenue Grenfell,
Ville Mont-Royal (Québec), H3R 1G3, Canada.
Tél. : (514) 738 0717; télécopieur : (514) 738 1069.

ISBN 2-9803515-4-7
Dépôt légal - Bibliothèque nationale du Québec, 1998
Dépôt légal - Bibliothèque nationale du Canada, 1998
Tous droits de reproduction, d'adaptation ou de traduction réservés pour tous pays.

© **LES ÉDITIONS MUSAE INC., 1998**.
330, Avenue Grenfell,
Ville Mont-Royal (Québec), H3R 1G3, Canada.
Tél. : (514) 738 0717; télécopieur : (514) 738 1069.

Aux Muses,
chair de poésie et de lumière,
qui,
dans l'Olympe,
apaisent les querelles,
sur Terre,
changent en mélodies
les lances et les épées.

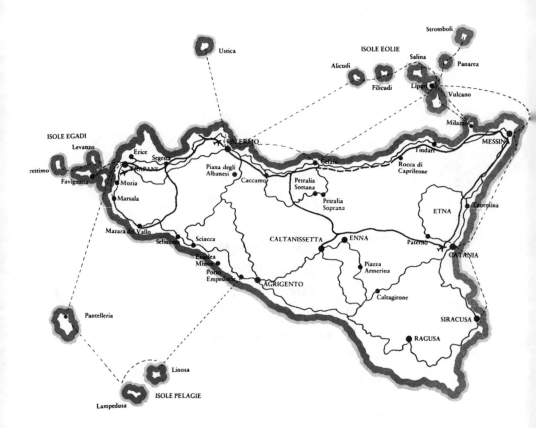

1. La Sicile et ses satellites.

Centre de la Méditerranée, la Sicile a vu s'enchaîner les civilisations les
plus diverses. Elles s'y rencontrent pour n'en former qu'une. Plusieurs
d'entre elles ont beaucoup donné, quelques-unes ont seulement pris,
toutes y ont laissé des traces et toutes ont subi son charme.

AVANT-PROPOS

C'est en amoureux du passé de Trinacrie que j'entreprends cette promenade poétique à la recherche des Sicanes, des Sicules ou des Élymes, des Phéniciens et, surtout, des Grecs et des Romains, sans oublier les Arabes ou les Normands.

Jour après jour,
de l'aube au soir,
les routes bordées de lauriers-roses,
de genêts et de chardons,
je cherche,
m'accordant au silence
des pierres, des bêtes et des plantes,
le passé de Trinacrie.

Mille fois je demande mon chemin,
mille fois je m'égare, à dessein,
au fond des criques,
sous les midis accablés,
dans l'eau,
peuplée de nymphes et libellules.

Volontiers je m'abandonne
au *mal de lune* de Taormine,
aux vapeurs pourpres du soleil
sur la baie enchanteresse de Naxos,
ou celle de Cefalù.

Je caresse les mottes fécondes
d'une terre sacrée,
je fête l'amour et l'art,
la vie et les siècles.

Je frôle le mythe,
respire les vestiges et herbes sèches
des vallées et des montagnes,
à la recherche
de Diane et ses victimes,
de Vénus et ses sanctuaires,
de Proserpine et ses malheurs[1].

Les Muses,
les douces filles de Mémoire[2],
m'accompagnent.
Graves ou bien folâtres,
sous la nuit ou le soleil,
elles chantent,
elles dansent,
elles me racontent
la Sicile et ses mystères.

Montréal, mai 1998   Domenico Fasciano

---

[1] Dans tout le recueil, les divinités et les autres personnages de la mythologie ainsi que les divers lieux historiques sont cités sous leur nom grec ou latin, selon l'emploi de la tradition et l'usage populaire.

[2] Fruit de neuf nuits d'amour entre Zeus et Mnémosyne, les Muses sont les chanteuses divines qui président, dans l'Antiquité, à la Pensée sous toutes ses formes.

2. Une jeune férule.
C'est le fenouil sauvage, la plante porte-feu de Prométhée. Le creux de sa tige est rempli d'une moelle blanche qui, lorsqu'elle est bien sèche, prend feu comme une mèche, sans endommager l'écorce, et s'y conserve longtemps.

3. Un bougainvillier.

Cette merveilleuse plante grimpante, appelée aussi bougainvillée, colle aux murs, couvre les balcons, borde les allées, brille de ses bractées colorées contre le bleu du ciel et de la mer, en ville, dans les plaines ou sur les montagnes, créant partout une atmosphère féerique.

INTRODUCTION

> Zeus a promis qu'il élèverait au faîte la grasse Sicile par l'opulence de ses cités.
>
> Pindare, *Néméennes*, I, 21-22.

La Sicile est le pays des oranges, des citrons, des lauriers-roses, des bougainvilliers, des hibiscus, des figues de Barbarie, des jasmins, des fenouils sauvages. L'hiver n'existe pas ou, s'il existe, ne dure pas longtemps. L'air du printemps et de l'automne, nuance de l'été éternel, est un parfum de poésie.

Les amandiers y fleurissent plus tôt qu'ailleurs dans le monde, le soleil respire le bonheur, une nuit de lune vaut une vie. C'est un lieu particulier, étrange, attrayant. Le mythe, l'histoire et la folie y font bon ménage.

L'île est un musée vivant. On y retrouve un art peu commun, où domine l'influence arabe, au milieu des souvenirs grecs, romains et même égyptiens, et où les sévérités du style gothique des Normands sont tempérées par l'ornementation et la décoration byzantines[3]. Il n'y a pas d'art qui n'ait trouvé sa place en Sicile, mais ses oeuvres, dont l'histoire est dénuée de temps, sont inimitables. L'art anime non seulement les lieux publics et les monuments, mais également les maisons, les jardins, la vie quotidienne, les fêtes, l'artisanat, la musique.

Née dans la mythologie, la Sicile a la respiration des siècles. Le souvenir de la Grèce y arrive avec chaque vague de la mer

---

[3] C'est la lecture que déjà Guy de Maupassant fait, en 1885, de la Sicile, son grand amour, dans *La vie errante, La Sicile.*

Ionienne. Le théâtre que l'on joue à Syracuse, sur l'une des plus anciennes scènes du monde, suit le rythme d'Eschyle. L'Europe s'y imprègne de la chaleur africaine, toutes les civilisations méditerranéennes s'y rencontrent pour n'en former qu'une. Plusieurs d'entre elles, à travers les siècles, ont beaucoup donné, quelques-unes ont seulement pris, mais toutes y ont laissé des traces et toutes ont subi son charme.

C'est justement ce charme, mystérieux et captivant, qui m'inspire les images qui animent ce livre. Images vécues, souvent trop belles pour être dites, dans le parfum magique de la nature enveloppante de l'île.

Images de Sicile, bien sûr, mais surtout images de Trinacrie, celles qui traduisent les témoignages des siècles et qui parlent au coeur d'un amoureux du monde gréco-romain.

Ce livre, malgré les apparences, n'est pas un guide pour touristes, même s'il invite à la promenade. C'est un recueil de poèmes qui s'ouvre à la prose. Le lecteur qui m'accompagne ne connaît peut-être pas la Sicile et c'est pourquoi des renseignements historiques et topographiques lui sont fournis. Les notes explicatives au bas des pages relèvent de la même intention.

Douze chapitres. Le premier présente un bref aperçu de l'histoire de la Sicile, le deuxième des réflexions sur la Sicile et les Siciliens, les neuf suivants portent sur les neuf provinces, et le dernier sur les îles satellites.

Cette répartition méthodique englobe toute la Sicile, mais la distribution des contenus est inégale, car d'une part, l'esprit du poète n'est pas celui de l'historien ou du géographe, et d'autre part, toutes les régions ne sont pas également intéressantes pour un classiciste, ni facilement pénétrables et intelligibles. En effet, même si un mois peut suffire, peut-être, pour expliquer la Sicile, une vie ne suffit pas pour la comprendre.

Je m'estime heureux, pour ma part, d'avoir pu entrer dans le monde mystérieux de cette île, unique au monde, qui est devenue ma seconde patrie. J'en remercie l'Office régional du tourisme, des communications et des transports de la *Regione*

Siciliana de Palerme, dont la documentation sur l'île m'a toujours été très utile. Je remercie également les bureaux provinciaux de tourisme de Palerme, Agrigente, Caltanissète, Catane, Enna, Messine, Raguse, Syracuse et Trapani, ainsi que les bureaux locaux d'Acireale, Agrigente, Cefalù, Erice, Géla, Îles Éoliennes, Messine, Palerme et Monreale, Sciacca, Syracuse, Taormine, qui, par la gentillesse de leurs employés, ont alimenté mon enthousiasme lors de mes fréquents séjours.

Je m'en voudrais de ne pas souligner aussi la collaboration des diverses Surintendances archéologiques, particulièrement celles de Palerme, d'Agrigente et de Syracuse, dont l'expertise et la générosité m'ont permis de visiter à mon aise les sites historiques et les musées, ainsi que l'aide des personnes suivantes auxquelles j'adresse ma sincère reconnaissance :

Calogero Alaimo,
Giuseppina Alaimo,
Luigi Barbica,
Giuseppe Bennardo,
Luigi Bernabò Brea,
Mario Bolognari,
Mario Castiglia,
Enza Cilia,
Concetta Ciurcina,
Ernesto De Miro,
Gaspare Faraci,
Renato Fichera,
Giuseppe Fichera,
Graziella Fiorentini,

Salvatore Martorana,
Santino Mastroeni,
Enzo Nieli,
Gesualdo Prestipino,
Mimma Puglia,
Salvatore Ranno,
Pietro Saglimbene,
Ida Tamburello,
Vincenzo Tusa,
Carmelo Ucchino,
Nino Ucchino,
Rocco Vitale,
Giuseppe Voza.

Enfin, je remercie toutes les Siciliennes et tous les Siciliens que j'ai rencontrés, du gardien de musée au marchand de poisson, qui m'ont fait aimer leur passé et leur présent avec une fierté que l'on ne retrouve nulle part au monde.

4. Le temple de Castor et Pollux.

Le temple de Castor et Pollux d'Agrigente, vu par Nino Ucchino. Le temple, à sa découverte, était un cumul de débris. C'est en 1836 que l'on a pu mettre en place quatre colonnes et une partie de l'architrave et attribuer l'édifice aux Dioscures sur la foi d'une ode de Pindare.

CHAPITRE I

L'ÎLE AUX CENT VISAGES

La Sicile est la plus puissante et la première des îles par
l'ancienneté de son histoire et de ses mythes.
Diodore, *Bibliothèque historique*, V, 2.

LA SICILE AVANT LES GRECS

Les premiers témoignages de la présence de l'homme en
Sicile remontent à l'âge de la pierre. Le paléolithique (dix
millénaires avant notre ère) y est attesté par quelques stations de
l'époque, sur la côte nord et dans le sud-est, et surtout par les
décorations rupestres de la *Grotta del Genovese*, dans l'île de
Levanzo, et de la *Grotta dell'Addaura*, sur les flancs du Monte
Pellegrino, près de Palerme. Le néolithique est présent, dès la
fin du Ve millénaire av. J.-C., dans la partie est de l'île, surtout
sur la côte, autour de l'Etna, et dans la région de Syracuse où le
village de Stentinello en est l'exemple le plus représentatif.

L'âge des métaux, ensuite, nous montre un nouveau visage de
la Sicile qui prend sa place dans la vaste unité culturelle de la
Méditerranée. La métallurgie, en effet, favorise la formation de
nouvelles civilisations, nées du progrès technique et des
nouveaux modes de vie qui en dérivent. L'âge du cuivre marque,
sous l'influence de l'Anatolie, la première étape de cette
transformation. Les progrès de la navigation, par exemple, qui
permettent d'atteindre les côtes de la Sardaigne, de la France et
de l'Espagne, facilitent des apports nouveaux aux cultures

existantes; celle de la Conca d'Oro, dans la région de Palerme, en bénéficie.

Pendant la période du bronze ancien (1800-1400 av. J.-C.), deux nouvelles civilisations font leur apparition dans l'île, l'une dans la région de Tindari et l'autre dans la partie sud-est, notamment sur la côte sud où le site de Castelluccio, près de Noto, nous en dévoile les aspects importants. L'âge du bronze moyen (1400-1250 av. J.-C.), ensuite, est témoin de la naissance d'une autre civilisation qui s'impose dans la région de Syracuse où Thapsos en montre le contenu avec ses apports provenant du monde mycénien et de Malte.

L'âge du bronze récent et le début de l'âge du fer (1250-730 av. J.-C.) jettent un éclairage nouveau sur l'histoire de la Sicile. En effet, dès le début du bronze récent, les habitants de l'île ne sont plus anonymes : ils portent les noms de Sicanes, Élymes et Sicules. Désormais la Sicile est partagée en deux moitiés : à l'ouest habitent les Sicanes et les Élymes, à l'est les Sicules. Les Sicanes sont, selon Thucydide[4], les successeurs des premiers habitants mythiques, Cyclopes et Lestrygons, et précèdent donc les Sicules. L'île porte alors le nom de Sicanie. Diodore de Sicile[5] précise qu'ils habitent d'abord l'île entière et qu'ensuite ils émigrent vers l'ouest à la suite des nombreuses éruptions de l'Etna. Leur premier roi s'appelle Cocalos. Les Élymes, que Thucydide[6] considère comme des Troyens installés près des Sicanes après la chute de leur ville natale, habitent l'extrême ouest de l'île, surtout à Égeste et à Éryx. Quant aux Sicules, que les Grecs appellent Sikèles, ils arrivent en Sicile au début du XIe siècle av. J.-C., selon Thucydide[7], ou, selon Hellanicos[8] et

---

[4] *Histoire de la guerre du Péloponnèse*, VI, 2.
[5] *Bibliothèque historique*, V, 6.
[6] *Op. cit.*, VI, 2.
[7] *Ibid.*, VI, 2.
[8] *Histoire attique.*

Philistos[9], au début du XIIIe siècle av. J.-C. D'origine indo-européenne, ils viennent d'Italie, sous la conduite du roi Italos ou, selon d'autres, de son fils ou frère Sicélos. Ils refoulent les Sicanes vers l'ouest et donnent à l'île le nom de Sicile.

Pendant cette période, la partie est de l'île vit, avec les Sicules, une civilisation de type italique qui ressemble à celle des Apennins. Le site de Xouthia, sur l'emplacement de la future colonie grecque de Léontinoi, nous en donne la preuve avec ses cabanes de bois, comparables à celles du Palatin, à Rome. Dans le sud-est, cependant, les Sicules se laissent influencer par la culture des populations locales. Cette période est marquée par la persistance des traditions mycéniennes (1250-1000 av. J.-C.), par les premières influences phéniciennes (1000-850 av. J.-C.) et par les contacts avec la Grèce (850-730 av. J.-C.) qui s'intensifient ensuite dans les villes indigènes. Pantalica, avec ses cinq nécropoles qui comptent plus de 5 000 tombes taillées dans le roc, est le site le plus représentatif de cette nouvelle civilisation.

LA SICILE GRECQUE

Le double peuplement de la Sicile, sicane et sicule, ou méditerranéen et indo-européen, donne un caractère particulier au substrat préhellénique dont tire profit la colonisation des Phéniciens et surtout des Grecs qui commence au début du VIIIe siècle av. J.-C. Désormais l'histoire de l'île se confond avec celle de ses immigrants. Les indigènes n'interviennent plus, sauf dans le cas de révoltes.

Dans la brève revue qu'il fait du peuplement de la Sicile, Thucydide[10] mentionne les Phéniciens après les Sicules. Selon

---

[9] *Histoire de la Sicile.*
[10] *Op. cit.*, VI, 2.

son récit, ils s'installent d'abord sur des promontoires et des îlots près de la côte puis, à l'arrivée des Grecs, se concentrent à Motyé, à Solonte et à Panormos. Il s'agit sans doute des Phéniciens de Carthage qui prennent la relève des métropoles sémitiques d'Asie et étendent leur empire sur la Sicile jusqu'à ce que les Grecs ne les forcent à se concentrer dans l'ouest.

Parmi les colonisateurs grecs, ce sont les Doriens des cités eubéennes et chalcidiennes qui jouent le rôle d'initiateurs. En 757 av. J.-C, ils débarquent dans la baie de l'actuelle Taormine et fondent Naxos. Ensuite ils envoient des colons dans les régions voisines pour donner naissance à Léontinoi, Catane, Zancle, Mylai et Himère. Presque contemporaines de ces colonies sont celles des Doriens : Mégara Hyblaia, fondée en 750 av. J.-C. par des Mégariens, et Syracuse, fondée en 733 av. J.-C. par des Corinthiens. Ces deux villes fondent à leur tour d'autres colonies; Mégara fonde Sélinonte qui, elle-même, est la métropole d'Héracleia Minoa, alors que Syracuse fonde Acrai, Casménai et Camarina. En 688 av. J.-C., des Rhodiens et des Crétois fondent Géla qui, un siècle plus tard, fonde Agrigente.

Les colonies grecques appartiennent à deux grands groupes ethniques, le groupe ionien et le groupe dorien, qui imposent leur culture, leurs traditions, leurs moeurs, absorbant ainsi les populations indigènes. Des hommes ambitieux s'emparent du pouvoir et donnent naissance à la tyrannie. Il s'ensuit des rivalités et des luttes qui constituent longtemps une cause de faiblesse pour la Sicile grecque. Phalaris règne sur Agrigente, Gélon s'empare de Syracuse, qui devient la cité la plus puissante de la Sicile. En 480 av. J.-C., les Syracusains repoussent les premières tentatives des Carthaginois auxquels ils infligent une cuisante défaite à Himère. Trente ans plus tard, ils sont obligés d'étouffer l'insurrection des Sicules qui, sous la direction de Doucétios, vivent un réveil de nationalisme en se regroupant en un État unifié, doté d'une armée considérable. Enfin, l'*Athènes d'Occident* se heurte à l'*Athènes de Périclès*, victorieuse de la guerre du Péloponnèse contre Sparte, qui tente d'abattre son hégémonie. En 413 av. J.-C., celle-ci voit son armée entièrement détruite par Denys. Les 7 000 prisonniers grecs périssent au fond des latomies.

Entre-temps, les dissensions des Grecs et l'épuisement de Syracuse encouragent les espoirs des Carthaginois qui cherchent de nouveau à occuper l'île (409-408 av. J.-C.) sous la direction d'Hannibal, petit-fils d'Hamilcar, le vaincu d'Himère. Ils réussissent à détruire Sélinonte et Himère (409 av. J.-C.), Agrigente (406 av. J.-C.), Géla et Camarina (405 av. J.-C.), mais, à cause d'une peste qui décime leur armée, ne peuvent s'emparer de Syracuse dont le tyran Denys l'Ancien signe un accord qui reconnaît aux Puniques la possession du tiers de la Sicile. Celle-ci se trouve ainsi divisée en deux : l'est sous le règne de Syracuse et l'ouest sous celui de Carthage.

Mais les hostilités deviennent permanentes, chacun cherchant l'occasion d'étendre ses possessions. Agathoclès, tyran de Syracuse, porte même la guerre en Afrique (310 av. J.-C.), sur le territoire de Carthage. Inutilement, car le conflit ne connaît pas de répit. Même l'épopée de Pyrros s'avoue impuissante, sa tentative représente l'ultime effort des Grecs en Occident. Il faut attendre la conquête romaine pour mettre fin à ces luttes séculaires.

Malgré ces nombreuses guerres, les Grecs bénéficient d'une prospérité qui leur permet le développement éclatant d'une civilisation fastueuse. Les villes croissent rapidement. Rien ne limite l'audace des architectes. Sélinonte et Syracuse possèdent des monuments qui suscitent l'envie de la Grèce même. Parmi les innombrables envahisseurs qui se succèdent sur le sol de l'île, les Grecs sont les premiers à laisser les traces d'une culture qui fait partie de la fabuleuse histoire de cette île enchantée, où, à côté des trésors artistiques, des traditions riches et vivantes, s'épanouit une nature resplendissante. Leur contribution aide à édifier sa beauté.

Les Grecs nous offrent la pureté incomparable de leurs temples : celui de Ségeste, gris et inachevé, presque intact dans son émouvante solitude; ceux de Sélinonte, majestueusement debout ou couchés dans le gigantesque chaos de blocs orangés, d'herbes sèches et de limaçons; ceux d'Agrigente, prestigieux chapelet de colonnes dorées, dont la force virile, l'élégance nerveuse, l'équilibre stable éveillent l'esprit de celui qui les contemple. Les Grecs ont également doté la Sicile de trois théâtres : celui de Ségeste avec l'horizon tragique de ses arides montagnes, celui de Syracuse dans la calme étendue de sa baie, celui de Taormine, l'un des plus magnifiques panoramas que les dieux généreux aient donnés aux hommes pour rêver.

C'est en Sicile que sont nés quelques-uns des plus grands esprits de la civilisation hellène. L'un d'entre eux a vu le jour à Agrigente : le philosophe Empédocle, qui meurt en se jetant dans le cratère de l'Etna. Stésichore, le plus fameux représentant du lyrisme choral avant Pindare, est né à Himère. Évhémère, le philosophe, est très probablement un Sicilien de Messine. Gorgias, le rhéteur, disciple des Syracusains Corax et Téisias, est né à Léontinoi et l'historien Timée à Tauroménion (Taormine). Diodore de Sicile est, évidemment, un Sicilien, né à Agyrion. Les plus célèbres, Archimède, l'un des plus grands inventeurs de l'Antiquité, et Théocrite, le poète, sont fils de Syracuse.

Citons également, parmi les moins connus, tous nés en Sicile, Sophron, Xénarque, les historiens Antiochos et Philistos, Archestratos, Charmos, les tragiques Achaios et Sosiphanes, les comiques Apollodoros et Eudoxos.

Ont vécu en Sicile Épicharme, Arion, Xénophane, Simonide de Céos, Pindare, Bacchylide, Eschyle, Philoxène, Platon, et, probablement, Sappho aussi.

L'évocation de la culture grecque ne peut omettre les riches collections rassemblées dans les musées qui exposent notamment les terres cuites décoratives ou votives, les splendides monnaies de Syracuse et quelques admirables sculptures, comme l'*Ephèbe* d'Agrigente, la *Vénus* de Syracuse ou les métopes de Sélinonte.

LA SICILE ROMAINE

En l'an 212 av. J.-C., les Romains s'emparent de l'île. Ils y instituent leur première « province » que Scipion, consul en 205 av. J.-C., se fait attribuer dans le but de préparer une flotte pour l'expédition décisive contre Carthage, expédition qui s'achève à Zama par la victoire de Rome en 202 av. J.-C. La seconde guerre punique a comme conséquence la soumission totale de la Sicile.

L'île est administrée, depuis 227 av. J.-C., par l'un des deux nouveaux préteurs institués à cette date et, depuis 122 av. J.-C., par un propréteur qui réside à Syracuse, la ville la plus importante de Sicile, même sous l'Empire romain. Ce gouverneur est assisté, à Syracuse et à Lilybée, de deux questeurs qui s'occupent des finances, car désormais Rome va exploiter à son profit les richesses de la Sicile. D'ailleurs, dès la première guerre punique, qui lui a permis de s'y installer, Rome en a fait son grenier. Elle compte dorénavant en tirer, sous forme de tributs en nature, les quantités de céréales, de vin et d'huile nécessaires à sa subsistance.

Les Romains afferment à d'importants propriétaires indigènes et à des chevaliers, originaires de Rome, de riches domaines qui seront cultivés par les esclaves. C'est là l'origine de ces fameux *latifundia* qui font, bien sûr, prospérer l'agriculture et les campagnes, mais qui deviendront, pour des siècles, la plaie de l'île. En effet, déjà à l'époque romaine, les paysans, écrasés par les collecteurs des impôts et de la dîme, se révoltent à trois reprises. Ce sont les trois guerres serviles. Les deux premières éclatent peu après la conquête, dans la seconde partie du deuxième siècle avant notre ère. Elles durent plusieurs années, font couler le sang et dévastent villes et campagnes. Après la première de ces guerres, une loi tente de diminuer les abus. Une seconde loi montre que la première ne suffit pas. Elle n'empêche pas non plus les rapines du propréteur Verrès qui font scandale à Rome même et que Cicéron dénonce avec une véhémence passionnée.

Auguste, voyant que l'île se dépeuple et se ruine, tente d'améliorer la situation. Il y envoie des colons et supprime les impôts en nature. Il est évident qu'il éprouve une certaine prédilection pour cette île dont son ami Virgile fait le cadre de ses *Bucoliques* et aussi une étape importante des pérégrinations de son héros Énée à la recherche de l'Italie. Tibère et Claude restaurent le sanctuaire de Vénus Érycine. Mais sous Gallien, au milieu du troisième siècle de notre ère, on assiste à la troisième révolte servile.

Les Romains n'ont pas en Sicile l'occasion de montrer leurs capacités de constructeurs. Les Grecs ont déjà bâti des temples et des théâtres. Leurs successeurs adaptent ceux-ci aux exigences nouvelles des spectacles, en élevant, par exemple, le mur qui ferme le théâtre de Taormine, ou en transformant la scène du théâtre de Syracuse. Afin de répondre au nouveau goût du peuple pour le combat de bêtes ou de gladiateurs, ils construisent des amphithéâtres à Syracuse, Catane et Termini Imerese. Ils font renaître, près de Palerme, la colonie phénicienne de Solonte, en construisant les rues, les maisons, le gymnase, qui en recouvrent la colline. C'est à eux encore que sont dus l'aqueduc de Termini Imerese, les thermes de Catane, les voûtes du gymnase de Tyndaris et les mausolées de Théron et de Phalaris à Agrigente. Dans cette même ville, le sarcophage de Phèdre et Hippolyte offre un exemple du renouveau de la tradition hellénique qui signale l'époque d'Hadrien. Mais la présence la plus remarquable de Rome en Sicile apparaît dans les vestiges et les mosaïques de la villa de Casale, près de Piazza Armerina, exemple admirable de ce qu'elle a créé de plus riche et de plus somptueux dans l'architecture privée à l'époque de Constantin.

Quant à la littérature latine, la Sicile est depuis longtemps trop hellénisée pour y apporter une contribution marquante. La seule qui mérite d'être citée est celle de Calpurnius qui reprend, à l'époque de Néron, les thèmes chers à Théocrite et tente de les transposer dans la poésie latine. Mais Virgile a déjà fait beaucoup mieux avec ses *Bucoliques*.

Entre-temps, le christianisme se répand en Sicile comme dans le reste de l'Empire. Selon la tradition, l'île reçoit la visite de l'apôtre Pierre, et l'apôtre Paul s'arrête trois jours à Syracuse avant de se rendre à Rome. Si l'on en juge par les nombreux martyrs qu'honore la Sicile, la nouvelle religion subit, là comme ailleurs, une longue persécution. Les catacombes de Syracuse, d'Agrigente et d'autres villes témoignent de la ténacité de sa résistance. Mais bientôt elle triomphera et sera reconnue dans tout le monde romain.

Le règne des Romains prend fin en 440, lorsque la Sicile est prise par les Barbares. Les Wisigoths d'Alaric se contentent d'y faire quelques incursions. En revanche, les Vandales de Genséric, venus d'Afrique, conquièrent l'île, où ils font de nombreuses irruptions, en 468. Ils la livrent au pillage et lui imposent une sorte de récidive de la domination punique. En 491, c'est le tour des Ostrogoths d'y asseoir leur autorité. Maîtres plus débonnaires, ceux-ci n'empêchent pas l'île de retrouver sa prospérité. En 535, Bélisaire reconquiert la Sicile, au nom de Justinien, et l'annexe à l'Empire byzantin dont elle fait partie jusqu'à la conquête musulmane, en 826. L'île redevient ainsi grecque, malgré les siècles de domination romaine.

LA SICILE NORMANDE

L'influence des époques byzantine et musulmane est considérable, surtout dans l'architecture et la décoration. Elle se maintient même à travers l'apport normand. C'est en 1061 qu'apparaît Roger, un des douze fils de Tancrède de Hauteville. Ce Normand s'empare à son tour de la Sicile et sa conquête sera le point de départ d'une nouvelle période dont l'importance et l'autorité rappelleront l'éclat de l'âge grec. Les Normands ne peuvent ignorer les Byzantins et les Musulmans qui occupent l'île et adroitement ils leur laissent leurs droits culturels et religieux qu'ils adaptent même à leur propre culture.

Race singulière que celle de ces grands conquérants blonds aux yeux bleus, dont les descendants se reconnaissent de nos jours dans certaines régions retirées de la Sicile. Ils arrivent dans l'île en aventuriers, en véritables hommes de proie, et ils deviennent de remarquables politiciens et de grands constructeurs. Si l'on peut dire que les colonies grecques ont valu à la Sicile sa période la plus brillante, les conquérants musulmans la plus délicate, ce sont les rois normands qui président à la plus originale, puisque les chefs-d'oeuvre que ceux-ci laissent lui appartiennent en propre et ne connaissent de répliques que dans l'Italie méridionale, elle aussi normande.

L'histoire de la conquête normande commence avec l'aîné des fils de Tancrède de Hauteville, Robert, dit Guiscard, qui se taille un vaste domaine dans la Pouille et la Calabre, enlevées à l'Empire byzantin. Son frère Roger, impatient de courir sa propre chance, profite des rivalités qui opposent les émirs siciliens pour intervenir dans les affaires de l'île et partir à sa conquête. Trente ans de guerre, une véritable épopée, une croisade avant la lettre, une brutale entreprise que le peuple sicilien assimile, jusque dans les peintures des charrettes paysannes, aux exploits de Roland et de Garibaldi. Cette longue lutte s'achève avec la capitulation des Musulmans qui sont délogés de l'île en 1091. La Sicile redevient ainsi un État autonome, pour la première fois depuis la chute du royaume d'Hiéron II. À la mort de Roger, le comté passe entre les mains de ses fils, Simon, puis Roger, qui se fait reconnaître roi de Sicile par l'antipape Anaclet II. Bien qu'il soit le premier à régner, il prend le nom de Roger II, pour affirmer la continuité dynastique. Il recueille l'héritage de Robert Guiscard et s'assure la possession de tous les domaines normands d'Italie. Il les unifie et oblige le pape à l'investir, par une bulle, *de la couronne du royaume de Sicile, de la Calabre et de la Pouille, du principat de Capoue, avec l'hommage de Naples et le secours des hommes de Bénévent.* Le 23 décembre 1130, il ceint la couronne royale à la cathédrale de Palerme. C'est l'origine de ce qu'on appellera plus tard le *Royaume des Deux-Siciles.*

À Roger II succèdent Guillaume Ier et Guillaume II. Leurs règnes sont marqués par un immense travail d'organisation pour établir un État fortement centralisé et par les nombreux efforts soutenus pour vaincre la résistance de la féodalité qui s'y oppose. L'ordre, la justice et la stabilité du règne de Guillaume II, dit le Bon, crée une prospérité qui éclate dans la somptuosité de l'architecture civile et religieuse. Mais les ambitions impérialistes du roi entament les forces vives du royaume. La mort de Guillaume II, en 1189, marque la fin de la dynastie normande proprement dite. La couronne des Deux-Siciles passera par héritage aux Hohenstaufen.

Les rois normands ont fait de la grande île méditerranéenne le coeur d'un État fort et redouté, et y ont suscité une civilisation brillante qui par certains aspects devance de beaucoup son époque. Ce que la Sicile normande présente de fascinant, à une époque exaltée mais aussi fanatisée par les croisades, la guerre sainte et les chansons de geste, c'est sa remarquable tolérance religieuse et son expérience de civilisation composite. Il ne faut pas oublier que cette île, depuis les temps les plus reculés, n'a cessé d'obéir à des régimes ou gouvernements étrangers, ou d'origine étrangère, et qu'elle a participé donc, bon gré mal gré, à des civilisations diverses. Mais la civilisation normande de Sicile est vraiment une création de la Sicile elle-même. Elle a quelque chose de profondément authentique et distinct. Ses témoins s'accordent à le reconnaître.

Le coup de génie des rois normands est de rallier, au lieu de les opprimer ou de les écarter au profit des éléments latins, les sujets grecs et arabes qui composent la majorité de la population. Ils comprennent que cette île, qui est le carrefour de la Méditerranée et du monde civilisé, peut et doit opérer la synthèse de trois des grandes civilisations qui sont nées sur ses rives. Certes, les leviers de commande sont dans les mains des Latins, qui ont amené avec eux le credo catholique, le plan de l'église romane et les institutions féodales de l'Occident; mais les Byzantins et les Arabes gardent leur culte, leurs traditions et leur langue; les inscriptions officielles sont rédigées aussi bien en arabe qu'en grec ou en latin, l'église byzantine voisine avec celle de Rome et les mosquées, au nombre de 300 à Palerme, maintiennent leur pleine activité. Bien plus, agriculteurs ou artisans de n'importe quel groupe contribuent à l'extraordinaire prospérité matérielle de l'époque; poètes et artistes, à son éclat intellectuel.

Le signe le plus durable et le plus éloquent de la civilisation normande est son architecture. Architecture civile, qu'illustrent notamment les merveilleuses résidences que les deux rois Guillaume construisent dans leur immense parc de Palerme, la *Zisa*, la *Cuba* et la *Cubula*, ou les châteaux forts, comme celui qui domine le bourg de Paternò. Architecture religieuse aussi, dans les églises et cathédrales que les rois font construire pour le culte catholique; églises érigées selon le plan des architectes normands, mais décorées par des artistes byzantins ou arabes. On en a des exemples dans presque toutes les régions de l'île. Une des plus vastes, la cathédrale de Messine, a été détruite par le tremblement de terre de 1908, mais reconstruite d'après l'ancien modèle. À Messine également, l'Annunziata des Catalans garde, du XIIe siècle, la coupole et l'abside. Dans la même province, à quelques kilomètres de Sant'Alessio, l'église abandonnée des saints Pierre et Paul dresse, au pied de la montagne qui porte le village de Casalvecchio, une construction un peu farouche où, sous les créneaux, les décorations extérieures des murs combinent étrangement la brique, la lave et le calcaire. À Catane même, l'abside normande de la cathédrale contraste avec la façade et la coupole baroques. Près de Caltanissète, au centre de l'île, parmi les oliviers et les pins, une église dénudée, typiquement normande, survit à l'antique abbaye du Saint-Esprit fondée par Roger II. Dans la province de Trapani, non loin de Castelvetrano, en pleine campagne, l'église de la Trinité de Délie compose entre les pins et les palmiers un ravissant poème de pierre avec sa coupole et sa triple abside. Elle ressemble comme une soeur à celle de San Nicolò Reale, à Mazara del Vallo.

Mais les chefs-d'oeuvre sont à Palerme ou dans les environs. D'abord, au Palais royal, la chapelle Palatine, « bijou religieux, dit Guy de Maupassant, rêvé par la pensée humaine et exécuté par des mains d'artistes ». Construite par Roger II, elle est probablement la réussite la plus parfaite du style normand où les éléments latins, byzantins et arabes composent une exubérante symphonie. À Palerme encore, les coupoles rouges de San Cataldo, celles de Saint-Jean-des-Ermites, le clocher et les mosaïques de la Martorana, la sobre église du Saint-Esprit, au cimetière, communément appelée église des Vêpres, sont des témoignages inoubliables de l'architecture religieuse normande. Quant à la cathédrale de Palerme, c'est un édifice dont seuls quelques éléments (absides et campaniles) remontent au XIIe siècle; l'intérieur ne mérite un peu d'attention que parce que des tombeaux de rois et d'empereurs s'y trouvent, notamment ceux de Roger II, de sa fille Constance, de son gendre l'empereur Henri VI de Souabe, de son illustre petit-fils Frédéric II.

Dans les environs de Palerme, nous retrouvons la cathédrale de Monreale, la merveille des merveilles, avec ses six mille mètres carrés de mosaïques aux couleurs intactes, et l'adorable cloître, où chante une fontaine arabe. Sur la route de Messine, se trouve la cathédrale de Cefalù qui, à 62 km de Palerme, dresse sa grandiose façade et ses beffrois romans, et conserve d'impressionnantes mosaïques byzantines.

Partout dans ces palais et ces églises, la beauté naît de la rencontre surprenante des arts occidentaux, arabes et byzantins. La fusion varie de l'un à l'autre de ces monuments : dans l'un c'est Byzance, dans l'autre c'est la présence arabe, ailleurs c'est le plan latin qui prédomine. Mais dans chacun d'eux l'accord, pour insolite qu'il soit, reste heureux.

Devant ces chefs-d'oeuvre de l'architecture normande, on est ému à la pensée que, malgré la différence des rites et l'incompatibilité des croyances, artistes et architectes catholiques, orthodoxes et arabes ont joint leurs mains et leur élan dans une commune prière. C'est dans cet élan du coeur et de l'amour que la civilisation normande définit son unité et son style.

APRÈS LES NORMANDS

Après les Normands, les dominations se succèdent. En 1266, se présente la dynastie angevine. En 1302, arrivent les Aragonais, en 1409, les Espagnols. C'est à ces derniers que la Sicile doit, probablement, ses impressionnantes processions de la Semaine sainte et autres exubérances cultuelles. Dans le domaine architectural, elle leur doit le décor gothique de quelques monuments : le portail sud de la cathédrale et celui de Santa Maria della Catena, le palais Abatelli, à Palerme; la Casa Ciambra, à Trapani; le portail de l'église de Saint-Georges, à Raguse; la porte marine, à Syracuse. Les magnifiques grilles qui garnissent les fenêtres du vieux Syracuse sont autant de souvenirs espagnols.

Au XVIIe siècle, l'art baroque italien s'installe dans l'île, laissant d'innombrables témoignages, comme les nombreuses scènes de personnages en stuc de Giacomo Serpotta qui, dans un décor digne du théâtre, évoquent la vie des saints.

En 1743, survient le gouvernement savoyard. Après les Autrichiens et les Bourbons, l'île, conquise par Garibaldi, est rattachée, en 1860, au jeune royaume italien.

Depuis, elle est encore victime de grands fléaux : tremblements de terre, tel celui de Messine en 1908, qui fait 84 000 morts; éruptions de l'Etna en 1923, en 1928, en 1950, en 1971 et plusieurs autres, plus ou moins meurtrières; ravages de guerre à Palerme, à Syracuse et plus encore à Messine. Mais, chaque fois, l'île se relève des invasions, des destructions, des séismes et affirme son étonnante vitalité.

Son statut d'*autonomie régionale*, promulgué par décret le 15 mai 1946, permet à la Sicile de s'administrer selon les priorités de développement établies par son propre parlement.

Tous ces siècles d'art, de pensée et d'expressions diverses, ont un lien commun : la nature. Elle vous accueille, souriante à Palerme, désertique à Ségeste, sacrée à Éryx, lumineuse à Sélinonte ou Agrigente, luxuriante à Syracuse, divine à Taormine, paradis terrestre s'il en est. Les jardins enchantés, émaillés de fleurs multicolores, aux senteurs captivantes, la mer d'un bleu profond, la voûte céleste qui, au coucher du soleil, se colore des nuances les plus féeriques, sont des spectacles inoubliables.

Le voyageur qui parcourt l'île communie avec la pureté de l'art grec, contemple les scintillants trésors des mosaïques byzantines, rêve devant les courbes nonchalantes et douces de l'art arabe, dénombre les richesses des musées, et, lorsqu'il est las de tant de splendeurs, trouve le repos dans la nature enveloppante, grandiose, divine.

Au terme de ce court résumé de l'histoire de l'île, j'ai le goût d'affirmer, après tant d'autres observateurs, surtout étrangers, que dans le bien comme dans le mal, la Sicile est l'Italie au superlatif.

5. La voix du passé.

Le Sicilien prend garde de ne rien renier des symboles anciens. Les cultes se juxtaposent. Voici un moment de la procession en l'honneur des saints Pierre et Paul, à Palazzolo Acreide. Les saints chrétiens méritent les offrandes mêmes qui apaisent les dieux païens.

CHAPITRE II

LA SICILE ET LES SICILIENS

L'Italie, sans la Sicile, ne fait point tableau dans l'âme :
là seulement se trouve la clé de tout le reste.
Goethe, *Voyage en Italie*, 15 avril 1787.

La Sicile est une île, la Sicile est un continent. Tous les Siciliens vous le disent. Les faits et les gens sont restés inchangés dans le temps, en dépit des différentes dominations. Les Siciliens ne peuvent pas changer, car ils sont parfaits. C'est du moins ce qu'ils croient lorsqu'ils regardent les oeuvres qu'ils ont produites, sous toutes les formes, au cours des siècles. Culture digne et puissante qui plonge ses racines dans les siècles légendaires, alors que la Sicile est le centre de la civilisation méditerranéenne.

Tous les Siciliens, peu importe la couleur de leurs yeux, ont le même regard. Le regard de la mer. On le retrouve dans les yeux du pêcheur musclé, de la fille timide, du garçon effronté, du vieux ridé, de la femme du marché qui sourit derrière une caisse d'aubergines.

Les Siciliens sont orgueilleux. Ils portent leurs siècles d'histoire avec la même désinvolture qu'un roi sa couronne.

LE DIAMANT

La Sicile, où l'harmonie mêle terre et mer, collines arides et vertes prairies, pistes enneigées et plages de sable, forme à elle seule un véritable continent au centre de la Méditerranée, carrefour des mondes antiques. Sa beauté, encore inégalée par Mère Nature, n'a cessé, au cours des siècles, d'exciter la verve des poètes qui l'ont toujours chantée comme un cadeau de Dieu.

Un jour
d'un lointain printemps,
charmé
par la musique de l'univers,
dans le ciel,
Dieu se promène, heureux,
contemplant la Terre.

Ravi de sa beauté,
il veut lui faire un cadeau.
De sa couronne
détache un diamant,
à trois pointes,
le dote de feux et de beautés,
le dépose dans la mer,
face au soleil levant.

Trinacrie l'appellent les uns,
Sicile, les autres.
Mais c'est un diamant[11].

---

[11] Ce texte s'inspire d'un poème anonyme, en sicilien, de la fin du XVIIe siècle. Les historiens grecs affirment que la Sicile s'est d'abord appelée *Trinacrie*, l'île du triangle. Homère, qui l'imaginait semblable au Péloponnèse, l'appelle Thrinacie, l'île du trident.

LE SORTILÈGE

La Sicile, charme des dieux et des hommes, est un sortilège. Feu et lumière, soleil et couleurs, forces magiques font d'elle une tentation, la plus provocante de la Méditerranée. C'est la séduction qui gagne, sans riposte, le corps et l'esprit.

Le sortilège tient l'île entière.
Il s'insinue
dans les secrets des îlots,
il plane
sur les plaines d'orangeraies,
il anime
les vestiges sacrés
de la Grèce et de Rome,
il sourd
du faste byzantin,
des fontaines arabes,
de la folie baroque.
Il plonge
dans les abîmes,
peuplés de nymphes et de poissons,
et coiffe
les montagnes et les volcans.

Le charme commence à Messine,
où s'amorce ma périégèse[12],
là même où se confondent
deux nobles mers de l'histoire[13].

---

[12] Translittération d'un mot grec qui veut dire « action de conduire ou promener tout autour, description ».

[13] Ionienne et Tyrrhénienne.

Je le sens
dans l'âme fraîche des boisés,
dans le scintillement des plages d'or,
dans le mystère des rochers et promontoires,
dans la poésie d'une côte sauvage,
ensoleillée,
où, parmi tant d'étoiles,
resplendissent avec fierté
Tyndaris, la Syracusaine,
Patti, la Romaine,
Céphalé, la Magnifique,
Himère, la Farouche,
Solus, la Phénicienne.

De l'autre côté de la cité royale,
la même magie anime Mondello,
ville d'eaux et de jardins.
Vers l'intérieur,
elle caresse la Conca d'Oro,
océan d'orangeraies,
et éclaire Monreale,
sa cathédrale, Bible en images,
et son cloître, poème d'architecture.

Plus loin, la mer se fait dense,
le sortilège souffle
sur le golfe et le sel de Drépane,
effleure sable et corail rouge,
amphores antiques et couchants de feu,
il se colore du sang rituel
des thons de la *mattanza*[14].

---

[14] La traditionnelle pêche au thon des îles Égades.

Il excite la montagne,
sensuelle et solitaire,
des hétaïres érycines,
le couvent de l'amour,
et se recueille
dans la solitude de Ségeste,
où le temple ouvert prie les Olympiens,
charnels et passionnés,
tendresses sacrées de nos rêves.

Il circule parmi les vignes et les vestiges
de Motyé, la Phénicienne,
et nage
dans le monde noyé
sous quelques brasses d'eau du Stagnone.

Il avance ensuite sur le cap,
à Marsala,
l'antique Lilybée,
le port de Dieu[15] des Sarrasins,
et se promène dans son histoire,
sur ses plages et ses vignobles.

Puis,
il devient,
comme la côte,
sauvage et mystérieux,
jusqu'au charme de Sélinonte,
où il chante avec le soleil
sur les pierres dorées,
devant la mer d'Afrique.

---

[15] Marsala vient de *Marsa-el-Allah* qui veut dire « Port de Dieu ».

Il effleure ensuite Sciacca,
climat de repos et de cures,
Eraclea Minoa,
plages tranquilles et chaudes[16],
pour plonger
dans les temples grecs d'Agrigente,
lieux vénérables
où chante le divin.

Il poursuit son chemin sur les plages[17]
où le souvenir du passé
revit avec Géla et Camarina,
et dans l'intérieur,
de ville en ville[18],
où un art unique le nourrit.

La côte ionienne[19]
est son royaume,
de la mer à la montagne.
Splendeurs de couleurs,
climat d'une douceur
unique,
agrumes sur la lave,
fleurs et figuiers sur les rochers,
villes charmantes,
qui partagent
le parfum de Syracuse,

---

[16] Siculiana, Porto Empédocle, San Leone, Marina di Palma, Licata.
[17] Géla, Scoglitti, Camarina, Marina di Ragusa, Donnalucata, Marina di Modica, Pozzallo.
[18] Caltanissète, Raguse, Scicli, Modica, Comiso, Cava d'Ispica.
[19] Du cap Passero jusqu'à Messine.

la joie de vivre de Catane,
la fumée et le feu de l'Etna,
les séductions de Taormine[20].

Après l'Olympe et l'Éden,
c'est elle le paradis.
Un silence sensuel,
un air suave, une flore fleurie
parfument son plateau
d'angélique et démoniaque.

D'un côté, elle respire l'Etna,
de l'autre, à ses pieds,
une mer de sirènes,
qui caresse
la baie de Naxos
et la côte jusqu'à Messine[21]
et le mystère de Charybde[22].

Le sortilège
n'épargne pas les petites îles,
leur quiétude,
les agrumes et les vignes,

---

[20] Dignes de mention, Noto, avec ses plages et son baroque en couleurs, Pantalica, avec ses tombeaux sicules, Palazzolo Acreide, avec la charmante ville antique d'Akrai, Caltagirone, capitale de la céramique, Mégara Hyblaea, une des plus anciennes colonies siciliotes.

[21] Autres localités à signaler : Isola Bella, Mazzarò, Letojanni, et plus loin, le long du détroit, Sant'Alessio, Santa Teresa, Furci, Roccalumera, Nizza, Alì Terme, Scaletta Zanclea.

[22] C'est le monstre qui vit sur un rocher, au bord du détroit entre l'Italie et la Sicile. En face de Charybde, de l'autre côté, vit un autre monstre appelé Scylla. Ces deux monstres sont le cauchemar des marins.

les parois d'obsidienne et de pierre ponce,
les grottes à gravures.

Éoliennes, Égades, ou bien Pélages,
elles sont la mer,
sa violence et sa douceur.

LE SICILIEN

Comme les paysages de l'île, le Sicilien vit de contrastes mystérieux. Sous une apparente timidité, son naturel pudique cache une violence parfois malsaine. Sa tristesse semble porter le fardeau de l'histoire dont il se comporte en victime, souvent docile et fataliste, avec les vertus d'un esclave et les vices d'un saint.

Depuis dix mille ans,
les vagues de l'histoire
recouvrent ses rivages,
ses terres, ses libertés.
Il vit ses siècles
dans le regret des précédents.

Du tyran Denys[23]
il glorifie la mémoire
sous le règne des Romains[24].

Il pleure Rome sous Byzance[25]
et Byzance sous les Sarrasins[26].

Il est fier et orgueilleux
de son sang arabe
à la conquête des Normands[27]

---

[23] Denys, tyran de Syracuse de 405 à 367 av. J.-C.

[24] La Sicile punique tombe sous la domination romaine en 241 av. J.-C. Peu à peu toute l'île devient une province romaine. La Sicile médiévale commence avec les invasions barbares, en 440.

[25] La domination byzantine s'étend du VIᵉ au IXᵉ siècle.

[26] Nom donné, au Moyen Âge, par les Occidentaux aux Musulmans. Les Arabes ont dominé la Sicile du IXᵉ au XIᵉ.

[27] La domination normande va de 1060 à 1194.

et rêve à ces derniers
sous les Aragons[28].

Il aime la France,
après les Vêpres[29],
et garde,
sous les Bourbons de Naples[30],
un coeur espagnol.

Son âme, enfin,
adopte l'Italie,
depuis qu'il a l'autonomie[31].

Il vit aux confins
du mythe et de l'histoire.
Silence et méfiance
sont la loi
qui embellit ses déceptions.
De la réalité il ne connaît
que celle des poètes,
de la fiction,
il ne retient que l'unique,
l'exemplaire l'émerveille.

---

[28] Les Aragonais et les Espagnols règnent sur la Sicile de 1282 à 1735.

[29] Émeute qui, éclatée à Pâques à l'heure des vêpres, se termine à la fin avril 1282. Pierre d'Aragon se fait proclamer roi de Sicile et chasse les Angevins (1266-1282).

[30] Ils ont dominé la Sicile de 1735 à 1860.

[31] Incorporée au royaume d'Italie après le plébiscite de 1860, la Sicile a toujours conservé un particularisme bien enraciné, reconnu d'ailleurs par la constitution italienne, qui s'exerce par un statut d'autonomie régionale promulgué par décret le 15 mai 1946. Le premier parlement sicilien est élu en avril 1947.

Dans son coeur,
le rapt de Proserpine[32]
tient autant de place
que la mort d'Empédocle.
Il sait gré à Pluton
d'avoir pris femme en l'île,
comme au philosophe
d'avoir voulu une mort de feu[33].

Ses moeurs,
comme ses cultes,
ses pierres et ses pouvoirs,
ne connaissent aucun répit.
L'amour, la mort,
son sens de l'honneur
et de l'humain
surgissent du plus profond
des énigmes de son passé.

---

[32] Proserpine, déesse des enfers, assimilée à la Perséphone grecque, est enlevée par son oncle Pluton (Hadès) dans la plaine d'Enna.
[33] Le plus grand des penseurs siciliens, Empédocle d'Agrigente, s'est précipité, selon la légende, dans l'Etna, dont le cratère a rejeté une de ses sandales.

LE PRINTEMPS

La Sicile bénéficie d'un climat exceptionnel avec, en moyenne, six heures d'ensoleillement par jour et des températures très agréables. L'hiver ne plaît à personne. Par conséquent, il ne dure pas longtemps. Le printemps, par contre, fait partie de la nature de l'île. Il est un véritable charme, un moment très sensuel.

Il est à peine un contraste de l'hiver,
une nuance de la belle saison,
quasi éternelle,
qui caresse l'île entière.

Il se présente
avec son cortège de fleurs et de parfums,
l'asphodèle en tête qui l'annonce
avec ses hampes chargées
de bourgeons et de soleil,
et l'amandier
qui couvre monts et vallées
de ses bouquets joyeux,
semblables
aux fumées immobiles
des feux de bergers.

Les orangers, les citronniers,
les trompes blanches du datura,
les roses et les violettes
colorent et embaument les jardins.

Les bougainvilliers se collent aux murs
et bordent les allées
de leurs clochettes de pourpre,
flirtant avec les géraniums.

Les marguerites et les iris,
les gueules-de-loup,
compagnons roses de vestiges anciens,
habitent les temples et les châteaux,
où les hirondelles et les moineaux
plongent dans l'air,
avec le bruit d'un coup de fouet,
pendant que le ciel, jaloux de la terre,
emprunte au soleil
ses couleurs de feu.

LA VOIX DU PASSÉ

Dans une île où le feu demeure une menace permanente, le Sicilien, toujours en péril, prend garde de ne rien renier des symboles anciens. Les croyances se succèdent, les cultes se juxtaposent et les traditions se maintiennent, solides comme des fleuves de plomb. Accepter le christianisme n'implique pas de renoncer aux traditions antérieures. Les saints méritent les mêmes offrandes que les dieux païens; dans les villages reculés, ils ont droit aux plus beaux fruits, aux oeufs frais, aux billets de banque épinglés à leurs ornements et à ces pâtisseries travaillées comme des oeuvres d'art.

Cyclopes ou Lestrygons[34],
Sicanes[35], Sicules[36],
ou Élymes[37],
Phéniciens ou Grecs,
Arabes ou Normands,
ou, encore, chrétiens,
les fils de Trinacrie
sans cesse
exaltent l'osmose des siècles.

---

[34] Peuple formé de géants anthropophages. Le périple d'Énée, le héros de l'*Énéide* de Virgile, place les Cyclopes sur les pentes de l'Etna et les Lestrygons à Léontinoi. Il s'agit des premiers habitants mythiques de l'île.

[35] Les Sicanes sont les plus anciens habitants de l'île qui, semble-t-il, s'appelait d'abord Sicanie. Ils seraient des autochtones ou des Ibères qui habitaient le long du fleuve Sicanos, en Espagne.

[36] Chassés d'Italie, ils s'installent en Sicile et s'imposent par la force aux premiers habitants.

[37] Selon Hellanicos, ils seraient venus d'Italie avant les Sicules, mais Thucydide en fait des Troyens. Égeste et Éryx sont leurs villes principales.

Comme une source intarissable,
la passion du mystère
renouvelle, sans fin,
les traces immortelles
creusées dans le temps.

De son manteau semé d'étoiles,
Bedda Matri[38] laisse échapper
les épis de Déméter.

Par son voile, ses rites et ses *minnuzzi*[39],
sainte Agathe
évoque Isis et ses mystères.

Saint Philippe,
aux joues blanches ou noires,
d'Agira ou d'Aidone[40]
porte à ses malades
le réconfort des Paliques[41].

---

[38] Deux mots siciliens qui signifient *Belle* et *Mère*. Ils se rapportent à la Vierge Marie dans sa fonction de fertilité comme la Terre-Mère de l'Antiquité.

[39] Mot sicilien qui signifie « petits seins ». Allusion aux seins rituels en cire rose que les jeunes mamans offrent à Agathe pour qu'elle leur assure un heureux allaitement. Souvenir évident du martyre de sainte Agathe à qui le bourreau coupe un sein. Dans l'Antiquité, les femmes enceintes apportaient des seins en argile à la déesse Isis.

[40] Saint Philippe est dompteur des démons, exorciseur des possédés. Il a le visage blanc à Agira et noir à Aidone. Le premier vient de Rome ou de France, le deuxième vient d'Afrique. Son collaborateur est saint Jacques (Iacopo).

[41] Les Paliques sont les Dioscures siciliens. Fils d'Adranos, dieu guerrier et infernal de la Sicile que les Grecs identifient à leur Héphaïstos, ils sont adoptés par la mythologie grecque, parfois comme fils de Zeus et

Dans les grottes à miracle,
les Bienheureuses chrétiennes
succèdent aux Nymphes
sans les chasser.

L'Athéna de Syracuse
prête à la Vierge son temple
que Zosime, l'évêque,
sans rien changer, appelle cathédrale,
associant sa foi et sa pensée
à celles de Cicéron[42].

Alfio, Filadelfio et Cirino,
les trois martyrs gascons,
que l'île entière vénère,
se parent
de longues chevelures de femme,
et de tuniques païennes;
ils sont Muses ou Sirènes dans un nuage,
mains jointes et pieds croisés[43].

---

de Thaleia, fille d'Héphaïstos, parfois comme fils d'Héphaïstos et d'Etna, fille d'Ouranos et de Gé. Ce sont les dieux de l'abondance et les protecteurs de la navigation. Iolaos, neveu d'Héraclès et son cocher, guérissait lui-aussi les possédés. Les chiens d'Adranos mordaient les possédés et dévoraient les assassins.

[42] Le temple grec est transformé en église chrétienne devenue cathédrale en 640. Les colonnes doriques du périptère sont réunies, encore aujourd'hui, par des murs; des arcatures sont creusées dans les murs du naos. Cicéron parle de ce temple grec dans les *Verrines, Les oeuvres d'art*.

[43] Ces trois saints, *tres casti agni* (trois chastes agneaux), martyrisés au IIIe siècle, sont les protecteurs de Trescastagni, sur la pente de l'Etna, qui les fête solennellement le 10 mai.

Lucie, Agathe et Rosalie[44],
saintes de l'espoir chrétien,
croisent Proserpine, Cérès et Cyané
à l'ombre de l'Etna, feu de l'Enfer.

Symboles païens,
jamais reniés,
cultes solides et immortels
résistent comme la lave
à l'érosion des siècles.

---

[44] Saintes vénérées dans trois des plus importantes villes de Sicile :
sainte Lucie à Syracuse, sainte Agathe à Catane et sainte Rosalie à
Palerme.

D'UNE SICILE A L'AUTRE

La Sicile est le produit de son climat, de son paysage, où les beautés de l'homme s'harmonisent avec celles de la nature, et de sa mythologie, dont les divinités existent, bien que parfois cachées sous des noms chrétiens. Le souvenir d'Aphrodite, animé par Vénus, se perpétue dans la démarche, dans le regard, dans les mouvements et les gestes, à la fois voluptueux et distants, des jeunes Siciliennes. Déméter, nommée Cérès, règne toujours sur les vastes plaines à blé d'Enna où le lac de Pergusa frissonne encore au souvenir du rapt de Perséphone, que les Siciliens appellent Proserpine, par son oncle, seigneur des Enfers. Les rochers noirs que Polyphème en fureur lance contre cette vieille canaille d'Ulysse et sa galère, ou contre Acis, amant de Galatée, immobiles au soleil, témoignent encore de sa colère. Héphaïstos, avec le feu de Vulcain, continue à forger ses foudres au fond de l'Etna, la montagne noire, où la vie et la mort partagent la même demeure et se relaient avec indifférence.

La mort veille sur la Sicile.
Coiffée de vapeurs pourpres,
nuit et jour,
elle hante le ciel.

Obstiné,
le feu de l'Etna brûle et menace.
Torche vivante
sur un jardin magique,
il éclaire l'île aux trois pointes,
aux vingt civilisations croisées,
terre d'art, de rêve et de tragédie.

Au grondement de son volcan,
à ses peurs et ses angoisses,
le fils de Trinacrie,

héros de Terre et Feu,
trouve un sens cosmique.

Sous le cratère,
cerné de trois cents bouches à fumée,
Héphaïstos et les Cyclopes
frappent le fer en fusion.
Des cavernes closes retentit,
sans relâche,
le bruit des enclumes et des marteaux.

Les fissures
au flanc de la montagne,
les frissons
secouant les champs de vigne,
les crevasses
où les villes s'engloutissent
sont l'humeur d'Encelade[45],
de ses fièvres la fureur,
depuis que Sicile l'écrase,
par ordre d'Athéna.

Le feu éternel, les coulées de lave,
brûlantes comme des vipères,
de Typhon témoignent la colère,

---

[45] Encelade est un des géants qui ont participé à la gigantomachie. Il s'enfuit devant Athéna qui lance sur lui, pendant qu'il court, l'île de la Sicile. Virgile, dans son *Énéide* (III, 578 et suiv.), rappelle à son sujet : « on dit que le corps à demi foudroyé d'Encelade est pressé sous cette masse et que l'énorme Etna, pressant sur lui, laisse passer par les fissures de ses fournaises les flammes qu'il respire. Chaque fois que, fatigué, il se met sur l'autre flanc, la Sicile tremble et gronde et le ciel se couvre de fumées. »

les convulsions haineuses,
de ce fils de vengeance et jalousie[46],
prisonnier de la montagne,
sous les foudres de Zeus.

D'une Sicile à l'autre,
l'essentiel,
c'est de croire pour vivre.
Après le mythe antique,
Héphaïstos salue Satan,
nouveau Typhon,
au bouillonnant courroux,
depuis que Michel l'écrase,
par ordre du Grand Dieu.

Du feu des vaincus cosmiques
naît l'Enfer chrétien.
Aux théomachies d'antan
succèdent
les cultes des saintes dorées,
dont les reliques, armes nouvelles,
cautionnent le combat.
Des effigies
la foule acclame
moins les vertus que les miracles
pour vaincre
les peurs et les angoisses.
Les torrents de feu,

---

[46] Avant de conquérir le pouvoir définitif sur le monde, Zeus doit affronter et éliminer Typhon, monstre créé par Gaïa comme ultime essai d'opposition à l'Esprit. Après une longue et dure lutte, Zeus écrase Typhon sous le mont Etna où il est prisonnier encore aujourd'hui.

qui dévorent
les guérets féconds des plaines,
ne cessent de couler,
pendant que les cultes
d'une foi millénaire,
solides,
comme les flots de la lave noire,
depuis Zeus aux saints du Christ,
vainquent la mort,
dont la violence menace,
mais féconde
le silence noir de la montagne[47].

---

[47] Paru dans *Mélanges Ernest Pascal*, Québec, Département des littératures, Université Laval, 1990.

LA FILLE DE NAXOS

Parfois elle est blonde, avec les yeux bleus et rieurs; elle parle vite, avec une langue moelleuse. C'est une Normande ou Souabe de Catane. Son amie a la peau, les yeux et les cheveux foncés. Elle aussi est sicilienne. Elle appartient à une race antique, grecque ou arabe, peut-être, venue sur un grand navire à rames quand le monde était encore jeune. Les yeux bleus ou les yeux bruns, elles ont le même regard, le regard de la mer. La mienne s'appelle Niké.

La robe défaite,
les pieds nus,
je la vois
parmi les tresses d'ail et d'oignon,
les prunes et les pastèques,
les courges et les tomates
d'un chaud été.

Cheveux de jais,
peau d'ivoire,
levantine aux yeux noirs,
un corps,
de frais sculpté
dans la glaise à peine mouillée,
sous un voile humide.

En ce soir de feu,
d'un lointain juillet,
chargé de désirs,
la chaleur est dense,
les piments parfumés,
et les sens
tressaillent dans le silence
du jour qui meurt.

Au loin,
le crissement tardif
des dernières hirondelles,
le babil de la fontaine,
les lucioles qui scintillent
en dessins de feu.
C'est Niké,
c'est juillet,
c'est l'été de Naxos[48].

---

[48] Fondée sur un promontoire de formation volcanique par les Chalcidiens, Naxos, l'actuel cap Schisò, est la première colonie grecque de Sicile.

6. Le temple de Diane.
Sur le Rocher de Cefalù, outre les restes de constructions arabes et médiévales, il y a aussi les vestiges d'un sanctuaire mégalithique consacré à une Grande Mère préhellénique, identifiée ensuite par les Grecs à Artémis et par les Romains à Diane.

CHAPITRE III

PALERME ET SA PROVINCE

> Panormos, contrée féconde où tout abonde, soit qu'on poursuive les bêtes fauves dans ses forêts, soit qu'on traîne les filets dans ses mers, ou qu'on abatte l'oiseau qui plane sous son beau ciel.
>
> Silius Italicus, *Puniques*, XIV, 261 et suiv..

Les premiers colonisateurs de Palerme sont des Phéniciens. Ils l'appellent *Ziz* parce que, comme une « fleur », elle exhale un parfum intense, en été comme en hiver, de ses herbes, des sillons, des vagues de la mer. Les Grecs, frappés de l'accueil de son « grand port », la nomment *Panormos* qui veut dire « tout port, havre total ». C'est le nom que les Carthaginois, les Romains, les Arabes, les Normands et tous les autres ont gardé. Cette ville de jardins et de villas où automne, hiver et printemps se fondent en une seule et même saison, est une ville d'art où l'on retrouve le témoignage des nombreuses époques historiques qui l'ont marquée.

Même en province, les vestiges du passé sont nombreux. Monreale se pavane sur une terrasse qui domine la Conca d'Oro. Elle est fière de sa cathédrale, ornée de précieuses mosaïques, et de son cloître bénédictin aux 228 colonnes richement décorées.

Dans les environs de la ville se trouvent également Mondello, la plage d'un sable fin et velouté, le Mont Pellegrino, le plus beau promontoire du monde selon Goethe, et S. Martino delle Scale, sur une colline, près de l'ancienne abbaye bénédictine.

À une quinzaine de kilomètres de Palerme, les nombreuses villas baroques de Bagheria rivalisent avec les jardins d'orangers et, sur un promontoire, s'élève la ville phénicienne de Solonte avec ses vestiges hellénistiques et romains.

Termini Imerese, avec ses eaux thermales, Caccamo, avec son château médiéval, Cefalù, ville très pittoresque au pied d'un rocher, font partie du charme et de l'histoire de la région de Palerme.

Pour l'archéologie, il y a Addaura et ses gravures paléolithiques, Himère et ses temples grecs, Monte Jato et son culte à Aphrodite.

UNE FLEUR DE PHÉNICIE

Phénicienne, elle s'appelait Fleur, Ziz, aujourd'hui elle s'appelle Palerme. C'est la ville de sainte Rosalie et de Frédéric II. C'est la ville des Vêpres siciliennes[49], aussi sordide et exaltante qu'une pipe de haschich, comme disait un arabe du XIVe siècle. Phéniciens, Grecs, Romains, Byzantins, Arabes, Normands, Espagnols, Français y ont laissé tour à tour leurs défauts et leurs vertus. Une ville de rois dont quelques-uns sont encore dans sa cathédrale: Henri VI, Frédéric II, Roger II, l'impératrice Constance. Elle est Afrique, Europe et Sicile, une capitale qui n'oublie pas de l'avoir été.

Au crépuscule,
les derniers rayons du soleil
peignent les lacets
du Mont Pellegrino.

Du haut,
dans le parfum des bougainvilliers,
un spectacle
digne des coloris de Raphaël.

Sur les acteurs,
immobiles,
pleut la dernière lumière du jour.

La ville dans la pénombre
se voile de mystère,
sous les mille feux qui la parent;

---

[49] Émeute de 1282 qui, du 30 mars à la fin avril, voit le massacre des Français de Sicile. Le mouvement éclate à Pâques, à l'heure des vêpres.

les monts de la Conque d'or[50]
se résument en silhouette,
pour faire un décor
à la princesse de la nuit.

Les nuages blancs, gris et roses,
se dissipent avec la brise
qui apporte les dernières senteurs
de la terre et des fleurs.
Le ciel,
de plus en plus profond,
ouvre ses réflecteurs sur la ville,
sur les riantes ruelles
aux porches monumentaux,
sur les balcons princiers,
agréable orgie d'architecture.

Place Pretoria,
où la grande fontaine *delle vergogne*[51]
bavarde avec ses dieux et déesses
qui étalent leur nudité de marbre blanc
sur le fond rose de Santa Caterina[52]
et la cloison jaune
du palais municipal.

---

[50] Dominée par des collines, Palerme s'étend au bord d'une plaine fertile, appelée la Conca d'Oro, où prospèrent citronniers, mandariniers, orangers, palmiers, vignobles et fleurs merveilleuses.

[51] Commandée à un Palermitain par une famille de Florence, cette oeuvre est ensuite achetée par la ville de Palerme. C'est un ensemble harmonieux et inattendu de style baroque. En langage familier, le terme *vergogne* veut dire « les parties honteuses », les organes sexuels.

[52] Église bâtie à la fin du XVIe siècle, qui fait partie du monastère Sainte-Catherine. Elle forme un côté de Piazza Pretoria.

Derrière la place,
la *Martorana*[53] avec ses voûtes
couvertes d'un ciel profond,
parsemé d'étoiles,
Jésus, Marie et les saints
en vert émeraude et bleu saphir.
En face, *San Cataldo*[54]
et ses coupoles arabes
qu'un palmier arrogant
sépare et ombrage de sa fraîcheur.

Le Dôme[55],
fruit de deux races
et deux civilisations,
envoûte
avec ses monarques normands
et leurs successeurs[56]
qui,
habillés en pontifes,
avec tiare, dalmatique et crosse,
reposent encore dans leurs tombeaux.

---

[53] Église bâtie par Georges d'Antioche, amiral de Roger II, en 1143.

[54] Cette église remonte au XIIe siècle. Elle garde sa forme primitive en dépit de nombreuses restaurations.

[55] C'est la cathédrale. Construite sur l'emplacement d'une basilique du VIe siècle, transformée en mosquée par les Arabes, la cathédrale est consacrée en 1185 et remaniée par la suite à plusieurs reprises.

[56] Ce sont les seigneurs qui organisent le royaume de Naples et de Palerme : Roger II de Hauteville (1154), Constance, sa fille (1198), Henri VI Hohenstaufen (1197), le fils de Barberousse; Frédéric II (1250), fils d'Henri VI, et sa femme, Constance d'Aragon.

Le Palais[57],
qui se pare de colonnes
enlacées par les arcs majestueux,
colore la lumière
par ses blancs, ses gris,
ses ocres et ses bleus.
Les calèches de laque noire
s'enfilent
au son du fouet,
aux rires des invités,
derrière les chevaux emplumés,
aux harnais d'argent.

Une dense chevelure de mosaïques
recouvre
voûtes, nefs et coupoles
de la chapelle *Palatina*[58]
dans une lueur nocturne hallucinante.
Hautain, près de la chaire,
se dresse un candélabre pascal,
en marbre,
sculpté d'imagination romane.

Dernier regard normand,
Saint-Jean-des-Ermites[59].
Croix égyptienne,

---

[57] Le palais des Normands, d'abord construit par les Arabes au IXe siècle sur les ruines d'un fort romain, a été transformé en palais royal par Roger II, au XIIe siècle.

[58] Édifiée par Roger II en 1132. Oeuvre remarquable de style sicilien arabo-normand, elle a été consacrée en 1140.

[59] Sa construction remonte à 1132, l'année même où débutent les travaux de la chapelle Palatine.

coupoles en bonnet d'eunuque,
campanile carré.
À côté,
les restes d'une mosquée.
Un jardinet entoure le cloître,
oasis de paix et de fraîcheur,
polyphonie de couleurs et de parfums.
Mimosas, jasmins,
oranges et pamplemousses
ornent un puits d'un air captivant.

Le Marché[60],
où du linge réunit les fenêtres,
éclaire de grosses lampes
les fruits, les légumes,
les bouteilles habillées de raphia,
les grappes,
les jambons et saucissons.

Pyramides d'olives et d'aubergines,
guirlandes d'oignons dorés,
carottes roses,
tresses d'ail blanc,
rangées de tomates.

La marée dans des caisses de bois
rappelle que la mer n'est pas loin.
Homards, tortues, thons énormes,
espadons argentés,

---

[60] Phénomène unique en Italie, le marché populaire de Palerme offre,
surtout le soir, un spectacle savoureux alimenté de mille lumières et
émotions.

crevettes et poulpes vaincus
qui tombent fumants
dans les assiettes bariolées.

C'est un concours d'odeurs,
de couleurs et de voix.
Des cris chantent,
tantôt arabes,
tantôt stridents
comme des coups de mèches.

Un marché singulier,
sonore,
où les vendeurs,
boutades à la bouche,
invitent à l'oubli du quotidien.

Tout le monde s'agite,
s'interpelle.
C'est bien la « Vucceria »[61].

Plus loin,
dans la ruelle étroite,
un trépied et un plateau
étalent douze pêches,
trois grenouilles, cinq escargots.

---

[61] Ce nom provient, paraît-il, du français *boucherie*. Il indique le marché à la viande et, en même temps, le vacarme, les cris. Une deuxième interprétation le fait dériver de *vuci*, mot sicilien qui veut dire « voix, cris ». En effet, les marchands règnent et jacassent sans arrêt.

LIEUX DE DÉLICES

Au temps des Normands, la partie sud et sud-ouest de Palerme est un vaste parc orné de palais, de lacs artificiels et de fontaines. Il ne reste de cette richesse que des vestiges pauvres mais éloquents. Il s'agit surtout de la Cuba, construite en 1180, sous le règne de Guillaume II, et de la Zisa, édifiée en 1154, sous le règne de Guillaume Ier.

La *Cuba*,
splendeur passée de l'art arabe,
a perdu sa haute coupole[62],
mais garde le souvenir parfumé
des lieux de délices
imaginés par les Arabes
pour le repos des guerriers normands.

Architecture sévère,
tours et arcs aveugles,
la Cuba rappelle une oasis
de la passion à l'orientale.

Fruits de rêves sensuels,
autres délices
sont aussi la *Cubula* et la *Zisa*[63],
raffinements décoratifs
des palais de l'Orient,
témoins de charmes et séductions
du paradis des Normands.

---

[62] La Cuba doit son nom à la haute coupole, maintenant écroulée.
[63] Son nom, du mot arabe *azizah*, veut dire « la splendide, la glorieuse ».

ROSALIE

Sainte Rosalie est la patronne de Palerme. Comme toutes les saintes siciliennes, elle a droit à deux fêtes par année, au début de l'été et au début de l'automne, moments où avaient lieu les cérémonies des anciens cultes agraires des Siciliotes. Sa fête principale, populaire, a lieu le 15 juillet, l'autre, le pèlerinage, le 4 septembre. Les deux se déroulent sur le mont Pellegrino, près de la mer, à l'ouest de la ville.

Un chemin en lacets,
pavé de dalles et de soleil,
coupé de sièges en pierres,
parfumé de bougainvilliers et hibiscus,
conduit le pèlerin
à la grotte
aux parois enfumées,
sur *le plus beau promontoire du monde*[64].

Stalactites et coulées calcaires,
autels, vitrines et lampes,
respirent l'odeur des cierges
qui tremblotent
dans un brouillard de larmes
et de prières.

Au fond de la chapelle,
sauvage et lugubre,
resplendit, en argent, un buste.

---

[64] Une expression de Goethe dans son *Voyage en Italie*.

C'est Rosalie, la fille de Corleone[65],
ermite de pénitence et de prière,
que les fidèles
caressent avec la main
et un mouchoir pieux.

Une vitrine somptueuse
abrite une autre Rosalie,
celle d'un roi Bourbon[66].
Vêtements dorés,
tête et mains en marbre,
recouverte de bijoux.

Allongée,
offerte aux regards silencieux
des fidèles admirateurs,
elle repose sous les pièces et les billets
que la foule glisse
dans les fentes de la cage sacrée.

Ses seins découverts
rappellent, peut-être,
la troglodyte et son voeu de pauvreté.

Des gouttières,
fiction macabre débridée,

---

[65] Fille de Sinibaldo dei Marsi, Rosalie vivait près de Corleone. Elle se retire dans l'antre, emplacement du futur sanctuaire, vers 1120, pour y mener une vie de pénitence. Elle y meurt en 1166. C'est cinq siècles plus tard qu'elle devient la patronne de Palerme pour avoir fait cesser une peste qui décimait la population de la ville. Le sanctuaire, qui comprend la grotte et le couvent, est construit en 1625.

[66] La statue est un don du roi Charles III de Bourbon.

décorent la roche
d'où suinte une eau miraculeuse,
parmi les bouffées d'encens et de litanies.

Dehors,
les odeurs de la foire :
poissons et beignets,
moules et coquillages roses,
nougats et piments, tranches de citron.

LA BIBLE EN IMAGES

La cathédrale de Monreale est le plus bel exemple de l'architecture normande de la seconde moitié du XIIᵉ siècle. Il est situé à 7 km de Palerme, sur une terrasse qui domine la Conca d'Oro et ses bosquets d'agrumes et de palmiers. Les travaux ont commencé sous Guillaume II le Normand, en 1174. Dans la partie supérieure de ce grandiose édifice, se déroulent 6340 mètres carrés de mosaïques exécutées entre les XIIᵉ et XIIIᵉ siècles par des artistes anonymes.

Au-dessus du socle, à dessins arabes,
et des colonnes
volées aux dieux païens,
un tapis immense
raconte,
dans le silence et la solitude,
depuis la Genèse jusqu'à Pierre et Paul,
les aventures de la foi chrétienne.

Séraphins et chérubins,
aux têtes douces et aux ailes diaphanes,
volent partout,
frôlant les silhouettes sacrées
d'un monde hallucinant,
où l'Église triomphe
autour du Christ-tout-puissant[67]
et la Vierge-toute-pure.

Il souffle sur les eaux,
sépare la lumière des ténèbres.

---

[67] L'image traditionnelle du *Pantocrator*.

La terre surgit du néant,
dans le ciel, les astres s'allument.
Plus loin,
chassés du paradis,
Adam et Ève font pitié,
sous le glaive d'un chérubin.

Mes yeux parcourent
l'immense naïveté du ruban,
s'arrêtent
sur le baiser de Judas
et les têtes soudées par la terreur,
ensuite,
sur les pains et les poissons,
minuscules et stylisés,
que la foule admire
autour du Christ et des apôtres.

UN POÈME EN COLONNETTES

Sur le flanc droit de la cathédrale, se trouve le cloître construit par Guillaume II, au XIIe siècle, pour les moines bénédictins. Les arcades arabes sont soutenues par deux cent vingt-huit colonnettes géminées (groupées par quatre aux coins) dont chacune porte une décoration différente.

Mosaïques incrustées ou bas-reliefs,
avec oiseaux,
sarments et visages humains,
s'enroulent autour des fûts,
coiffés de chapiteaux richement sculptés.

Images pieuses
alternent avec les profanes.

Ève, Adam et leur péché,
le meurtre d'Abel,
l'histoire de Samson,
les mages devant la crèche,
les tritons, chasse et moisson,
un tireur d'épine.
Guillaume
offre la cathédrale à la Vierge.

Dans un angle,
s'élève une fontaine arabe,
aux lignes sinueuses,
ruisselante d'eau et poésie.

LES MONSTRES DE PALAGONIA

À 14 km de Palerme, vers Messine, se trouve Bagheria, la Versailles de Sicile. Née en 1657 de la volonté du prince Branci-forte, cette ville est vite devenue célèbre pour ses nombreuses villas construites par les riches Palermitains au milieu des plantations d'oranges. Parmi les plus connues, se trouvent les villas Valguarnera (1721) et Palagonia (1715). Cette dernière, bâtie par l'architecte Tommaso Napoli pour Ferdinando Gravina, est une vaste construction, décorée de rampes et de balcons, hantée de monstres de toutes sortes dont le neveu de Ferdinando l'a peuplée en 1747. Laid et âgé, ce dernier voulait, avec ces statues, faire réfléchir sa jeune femme, belle et courtisée, sur ses fautes éventuelles et ses désirs.

Un décor de cauchemar,
où l'amour est viol, le désir débauche.
Images de hantise
et de péché.

Statues de nains et de bossus,
musiciens bancals,
hydres d'antique mémoire.
Des ânes et des chevaux,
affublés de cravates,
des lions attablés,
serviette au cou,
devant des plats d'huîtres.

Géants et dragons ailés
étreignent des éphèbes.
Achille est enlacé à Pulcinella,
Zeus est figuré en taureau,
Laocoon en Arlequin.

Les Érinyes menacent
de châtiment les désirs,
inavoués,
de la princesse
pour ses nobles soupirants,
et rappellent
l'insolite perdu[68].

La chambre de l'amour,
est peuplée de reptiles et de crapauds,
de scorpions et d'araignées.

Une bête,
digne d'une mythologie
noire et débridée :
tête de lion et cou d'oie,
corps de lézard, pattes de chèvre,
queue de renard[69].

Même la chapelle
respire l'horreur.
Un buste de femme
par des mille-pattes est dévoré,
un Saint-François pendu
éclaire
de sa lumière, le plancher.

---

[68] Une grande partie de la décoration a disparu. Le jardin seulement comptait plus de 600 monstres. Les salons contenaient des miroirs, des cristaux de roche, des marbres de différentes couleurs, des verres, des tables en forme de tombeaux.
[69] Selon le chroniqueur A. T'Serstevens, qui en parle dans *Sicile, Éoliennes, Sardaigne*, Paris, Arthaud, 1957.

Le calcaire noirci par le temps
donne à ce qui reste
un aspect sinistre,
mais innocent.

Les cornes sont tombées
en poussière
depuis longtemps,
les maris et les parturientes
n'ont plus rien à craindre[70].

La porte du vestibule avertit :
dans toute cette splendeur,
vois l'image
de l'humaine fragilité.

---

[70] Selon les rumeurs de l'époque, les monstres qui surplombaient les murs de l'avenue d'accès à la villa faisaient avorter ou accoucher d'enfants difformes les femmes du voisinage.

SIX COLONNES DORIQUES

L'antique Soloeis ou Solus occupe une partie du mont Catalfa-no. Cette ville, un des premiers comptoirs phéniciens de l'île, devenue grecque par la suite, est passée sous la domination des Romains en 254 av. J.-C. et a été détruite par les Sarrasins, au Moyen Âge. Ses vestiges nous montrent le plan régulier d'une ville romaine.

Soloeis,
une roche ensoleillée[71],
qui domine la mer
de sa charmante altitude.

Je foule le sol du *cardo*
qui la traverse de la tête aux pieds,
et les artères qui la découpent en îlots[72].

Sous mes pas incertains,
ces pavements millénaires
parlent de Solous,
le géant de la colline,
voleur de vierges
qu'il épouse et dévore,
et d'Héraclès,
vengeur de ses crimes.

---

[71] Le nom *Soloeis* qu'on a donné à la ville veut dire en sémitique *La Roche*. On l'a appelée ainsi parce qu'elle était bâtie sur un promontoire. Les Grecs expliquent le nom par un éponyme *Solous*, un voleur tué par Héraclès.

[72] Le *cardo* est l'artère nord-sud d'une ville romaine. Le *decumanus* est la voie est-ouest. En se croisant les *decumani* et les *cardines* forment les *insulae*, les îlots.

Le tueur de grands serpents,
fils de Zeus,
répond à l'espoir des victimes,
étrangle le géant
et le jette en pâture aux poissons.

En souvenir,
la roche s'appelle Solonte.

Les Phéniciens
y vivent avec Isis, Balaal et Tanit,
les Grecs avec Zeus et Poséidon,
les Romains y vénèrent
les Pénates
et leur puissance.

Six colonnes, nobles et fières,
contre le bleu d'un ciel profond,
rappellent
les potins d'un péristyle[73].

Des gradins du petit théâtre,
en haut de la colline,
l'oeil ravi
se porte sur Zafferano
et, au loin, sur Cefalù.

---

[73] C'est un ensemble de vestiges auquel on a donné le nom de *gymnase*, mais il s'agit en réalité d'une belle maison romaine.

LES RESTES D'UNE VICTOIRE

Fondée par les Chalcidiens de Zancle, Himère occupe deux collines. La partie plus ancienne est sur la colline orientale. Dans la vallée, se dressent les restes d'un temple dorique à six colonnes, celui de la Victoire, érigé, semble-t-il, sur le lieu de la bataille de 480 av. J.-C., pendant laquelle les Carthaginois ont été littéralement éliminés par Gélon de Syracuse et Théron d'Agrigente.

Un seul bateau regagne Carthage
pour apporter la nouvelle
de la défaite,
de l'horrible carnage
dont le souvenir fige le sang.

Les fantassins et cavaliers de Gélon,
discrets mais ambitieux,
massacrent
les soldats et la gloire
de la grande armée d'Afrique.

Hamilcar périt dans le feu,
le même jour que Salamine libère
l'autre Grèce des Barbares.

Rappel de la victoire,
un temple
surgit dans la plaine,
au milieu d'un champ doré,
fier
de ses fleurs de lotus,
ses lions superbes,
ses colonnes et chapiteaux.

Colonnes d'orgueil,
que l'histoire,
cruelle et sans appel,
voue, hélas, à une mort précoce.

Elle les fauche
par la haine d'Hannibal[74],
son justicier,
qui venge la mémoire
de son oncle et de Carthage.

Du passé de gloire
ne restent que d'énormes fragments
qui affichent encore,
au milieu d'amandiers et de figuiers,
la haine de Gélon et d'Hannibal.

---

[74] C'est en 409 av. J.-C. qu'Hannibal, petit-fils d'Hamilcar, le vaincu
d'Himère, détruit totalement la ville qui n'a jamais été reconstruite. Les
fouilles ont mis au jour les traces de la ville antique et découvert nombre
d'objets conservés dans le musée. Du temple, il ne reste que le
soubassement et quelques fragments de colonnes. Les gargouilles sont au
musée de Palerme.

LE ROCHER

Ville très ancienne, Cefalù connaît sa période de splendeur sous Roger II à qui elle doit sa cathédrale, la plus belle expression de l'architecture normande en Sicile. Fondée probablement par les Phéniciens, cette ville tombe sous la domination des Grecs qui lui donnent le nom de Céphaloidion, *tiré du rocher en forme de tête (céphalé) qui la domine. Ensuite, ce sont les Romains, les Sarrasins et les Normands qui s'en emparent. Sur le rocher, outre les restes de constructions arabes et médiévales, il y a un temple mégalithique, consacré à une Grande Mère locale identifiée par la suite à Artémis. Construit avec d'énormes pierres posées l'une sur l'autre, il nous est connu sous le nom de Temple de Diane. Jumelle d'Apollon, déesse de la chasse et maîtresse des animaux, sa présence sur le rocher entretient le jardin de la pudeur. Je la cherche, à la brune d'un jour d'été, chaud comme l'Etna.*

Sauvage, reine des fauves,
elle court les bois et les montagnes,
sans maître aucun.
Vierge indomptée,
elle ne connaît pas le temps des amours.

Belle et farouche, sans passion,
solide comme une fille de Sparte,
personne, parmi les mortels,
ne peut voir sa nudité.

Un arc et des flèches,
svelte dans sa tunique,
elle force à la course
chevreuils, daims et cerfs,
elle traque les loups et les sangliers,
les lynx et les panthères.

Sagittaire incomparable,
tantôt elle protège, tantôt elle tue :
les bêtes sont son bien et sa proie,
sur terre et dans le ciel.

Sa loi protège les faibles,
la vie fragile et désarmée,
la femelle pleine, la frêle progéniture,
les oeufs dans les nids.
Les cygnes et les lapins, les lionceaux
répondent à ses caresses.

Sa loi tue
pour les banquets de l'Olympe,
et venge la mort qu'elle n'a pas donnée.

La biche, salut d'Iphigénie[75],
est sa complice,
Vénus est sa rivale,
Thésée son cauchemar.
Actéon[76], le voyeur,
Callisto[77], l'Arcadienne,

---

[75] Au moment du sacrifice, Artémis substitue à la fille du roi Agamemnon une biche et transporte Iphigénie en Tauride.

[76] Actéon est dévoré sur le Cithéron par ses propres chiens. Il doit ce châtiment à la colère de la déesse mécontente d'avoir été vue par le chasseur pendant qu'elle se baigne, nue, dans une source. Transformé en cerf, il est attaqué par les chiens qui ne le reconnaissent pas.

[77] La mort de Callisto est due, elle aussi, selon l'une des versions du récit, à la déesse qui la punit de s'être unie à Zeus malgré son voeu de virginité.

Orion[78], le chasseur,
sont ses victimes.
Hippolyte est son chef-d'oeuvre[79].

Dans cet air virginal du Rocher,
Vénus,
tendre et radieux sourire,
incendie ma chair de volupté.

Je cherche alors Diane et son visage,
je quémande sa faveur,
mais la chaste déesse,
jalouse et indifférente,
disparaît
dans les rayons pourpres du soleil
qui dessinent,
sur les vagues de la baie,
les derniers désirs
du jour qui s'en va.

Sans amertume,
je brûle
au seuil centenaire du temple,
alors que, dans le ciel,
une lumière s'allume sur Cefalù.

---

[78] Orion subit la colère de la déesse, dans une variante du récit, pour l'avoir défiée au disque, dans une autre, pour avoir essayé d'enlever Opis, l'une de ses compagnes, ou encore, pour avoir tenté de la violer elle-même.

[79] Fils d'une Amazone, il n'aime que la chasse et les chevaux. Pur et sauvage, comme la déesse, il fuit l'amour. Il va mourir pour défendre ses chastes plaisirs.

7. Le temple inachevé.

Sur une colline isolée, entourée de rochers, le temple de Ségeste, la maison inachevée de la Grande Mère, ancêtre de la troyenne Égeste, décore une longue et large vallée dans son émouvante solitude. Il montre les séductions de l'art grec sur les indigènes de la Sicile occidentale.

CHAPITRE IV

TRAPANI ET SA PROVINCE

> « Aucune terre peut-elle m'être plus chère, aucune peut-elle offrir un refuge plus enviable à mes vaisseaux fatigués que celle où je retrouverai le Dardanien Aceste, et qui s'est refermée sur les os de mon père Anchise ? ».
>
> Virgile, *Énéide*, V, 28-31.

Trapani tient son nom de *Drepanon, Drepanum*. Construite par les Carthaginois en 260 av. J.-C., sur une bande de terre qui s'avance dans la mer, elle est peuplée par les habitants d'Éryx dont elle est le port. En 241 av. J.-C., elle passe sous la domination romaine, après la bataille des Égades lors de laquelle la flotte du Carthaginois Hannon le Grand est anéantie par le consul romain Catule.

Du haut de la montagne, la Vénus d'Erice, protectrice des navigateurs, la protège. Devant elle sont les îles du silence : Favignana, Marettimo et Levanzo. Entre Trapani et Marsala se trouve la phénicienne Motyé, devenue par la suite carthaginoise. On rencontre plus loin Mazara, capitale du poisson, Sélinonte, la ville de l'ache, et Ségeste, sa rivale pendant des siècles.

La légende troyenne est bien vivante dans la ville de Trapani où Énée arrive après ses longues errances. Le héros troyen, en effet, après avoir doublé le golfe de Tarente, met le cap sur la Sicile. Il relâche près de l'Etna, au pays des Cyclopes, puis reprend la mer en voguant vers le sud de l'île. Il laisse derrière lui la baie de Mégare (Megara Hyblaea) et Ortygie (Syracuse), et après avoir doublé le cap Pachynum (Capo Passero), il passe au large de Camarina et de Géla. C'est ensuite Acragas (Agrigente), Sélinonte et le cap Lylibée (Marsala). Enfin, après avoir louvoyé à travers l'archipel des Égades, il entre au port de Drepanum (Trapani). C'est là que meurt son vieux père, Anchise. Bientôt emporté par la tempête vers les côtes africaines, il en revient, après sa triste histoire d'amour avec Didon, pour célébrer des jeux funèbres, en l'honneur de son père. Avant de quitter la Sicile pour sa destinée latine, il fonde Acesta (Ségeste), une nouvelle Troie.

Drépane et les villes avoisinantes, comme Érix et Ségeste, doivent beaucoup à Virgile qui chante, en connaisseur et en amoureux de la Sicile, leur beauté et leur gloire.

À LA MÉMOIRE D'ANCHISE

Le livre IV de l'Énéide, consacré aux amours d'Énée et de Didon, forme une parenthèse dans l'action épique de l'oeuvre. Énée, après la mort d'Anchise à Drépane, gagne avec sa flotte Carthage où se déroule le funeste épisode que clôt la fin tragique de la reine sur le bûcher. C'est un intermède qui dure à peu près un an. Puis Énée reçoit l'ordre divin de se rendre en Italie où l'attend son destin glorieux. Il déploie ses voiles et met le cap sur la terre promise, mais les vents l'obligent à s'arrêter en Sicile.

Attiré par de chers souvenirs,
il jette l'ancre
dans le port de Drépane
et descend sur ce triste rivage,
bien connu,
qui lui a ravi son père,
après tant d'orages et de traversées.

C'était son soutien
dans la peine et le malheur.
Il l'a quitté
pour cette terre de blêmes asphodèles,
que le soleil ignore,
où le corps,
ombre légère et songe envolé,
n'a plus de vie.

Ni Hélénus, le devin,
ni l'exécrable Céléno
ne lui avaient prédit,
parmi les horreurs de son destin,

cette perte, lourde et douloureuse[80],
que le souvenir pleure,
inconsolable.

Le lendemain,
jour anniversaire de ce chagrin,
Énée appelle ses compagnons
sur le rivage,
où sa piété filiale
demande un hommage
à la mémoire de son père.

Les tempes voilées de myrte,
avec Aceste et le jeune Ascagne,
il va vers le tombeau,
entouré d'un grand cortège.

Libations de vin pur,
de lait frais et sang sacré,
au milieu
de fleurs de pourpre et d'or,
de mots d'éloge et de regret.

Soudain,
un serpent,
dos moucheté de taches bleues,
sort du sépulcre,
déroule ses anneaux,
circule parmi les patères et les coupes,
goûte aux mets sacrés,
puis s'éloigne, indifférent.

---

[80] Voir Virgile, *Énéide*, III, 707-713.

Sous le charme de ce prodige,
Énée redouble de piété.
Il immole
deux brebis de deux ans,
deux jeunes porcs,
deux taureaux noirs[81].
Il invoque l'âme d'Anchise
et les mânes d'Achéron[82].

Neuf jours se passent
dans le silence sacré
qu'impose l'invisible Pluton.

Suivent les jeux funèbres
qui couronnent,
dans un paysage digne des dieux,
l'hommage à un père,
qui, malgré son départ,
veille encore sur Énée,
le héros du destin.

---

[81] Voir le récit du livre V de l'*Énéide* de Virgile qui inspire le contenu de ce poème. Le poète latin évoque, dans ce passage, des usages bien postérieurs à la prise de Troie : il fait exécuter par Énée un rite expiatoire que les Romains appelleront *suovetaurila*.

[82] Selon la croyance, les mânes assistent au sacrifice.

LA DANSEUSE

Le musée national Pepoli, situé dans un palais du XVIe siècle de Trapani, expose des oeuvres de valeur et d'une grande beauté, parmi lesquelles on retrouve des objets archéologiques provenant des anciennes villes de la région, comme Éryx, Sélinonte, Lilybée, Motyé et, également, de villes plus éloignées.

Dans une sombre vitrine,
au bout des galeries ombreuses,
une danseuse bouge
regardant son mollet
en plein tourbillon.

De toutes les terres cuites
elle est, peut-être, la plus belle :
mouvement fixé dans son envol
avec grâce et perfection.

C'est l'art de Centuripe[83],
plaisir de vivre et d'être beau,
qui sourit en ses visages,
et garde,
au bout des mains fragiles,
une caresse inachevée.

C'est l'art
qui parle le langage
de la vie et du bonheur.

---

[83] Petite cité sicule, dans la région d'Adrano, qui acquiert de l'importance à l'époque romaine. Une production riche et caractéristique de son art date de la période républicaine : céramiques et figurines de terre cuite du type des tanagras. Centuripe veut dire : cent pentes, *centum ripae*.

UNE COLOMBE DORÉE

Habité dès le néolithique, le haut rocher d'Éryx est la demeure d'une Grande Mère méditerranéenne, déesse de la fertilité et de la fécondité, que les Phéniciens identifient à leur Astarté, les Grecs à leur Aphrodite, les Romains à leur Vénus. Lorsque ces derniers arrivent sur la prestigieuse montagne, reconnaissant en la déesse la mère protectrice de leur héros national, Énée, ils font au culte de Vénus Érycine une réputation toujours grandissante que l'amour et le sacré alimentent jusqu'à l'arrivée des Normands. Deux traits typiques caractérisent le culte : la prostitution sacrée, exercée par les hiérodules, et la présence de douces colombes, attribut divin évocateur de fécondité.

Une route en lacets,
pittoresque et parfumée,
dans le silence des siècles,
monte vers le ciel sacré
de la divine Éryx.

Tel le voyageur antique,
guidé par l'étoile *Vesper*[84],
j'arrive, à la nuit tombante,
quand Vénus se lève
au-dessus de la falaise
et éclaire
le culte de l'amour et son mystère[85].

Issue des flots de Chypre,
c'est ici que la belle déesse

---

[84] C'est l'étoile du soir.
[85] Il s'agit du sanctuaire de Vénus dont les vestiges se trouvent à l'intérieur du Castel Venere.

accueille le pèlerin
sur le chemin de la volupté.
Que d'heureux marins
accèdent
à la conscience du divin
par ces jolies servantes,
recluses savantes
en l'art secret.

Perdu
dans le mystère de ce désir sacré,
comme un nuage,
je suis
le vol d'une colombe dorée
sur la terrasse rocheuse
au bord du précipice[86].

Un vieux puits, quelques pierres,
tronçons de colonnes noircis
sont, hélas pour l'oeil,
les derniers vestiges
du couvent de l'amour.

Mais,
des danses effacées et parfums évaporés,
des chants éteints et soupirs étouffés,
il reste encore,

---

[86] La déesse a des colombes sacrées. Une fois par année, elles quittent Éryx avec leur maîtresse pour se rendre en Afrique. Neuf jours plus tard, ou six mois selon une variante du mythe, les colombes reviennent pour annoncer le retour de la déesse. Elles sont guidées par une colombe dorée. Ce double voyage prend les noms d'*anagogé* et de *catagogé* pour indiquer la disparition et le retour de la déesse.

sur le rocher et dans les rues de pierres,
l'ineffable saveur de séduction.
On la respire
dans l'air frais du matin,
l'air chaud du midi,
le brouillard de la nuit.

Les filles d'Éryx sont belles,
les plus belles de l'île.
Le pas dansant, les gestes antiques,
elles glissent,
sous les treilles de fleurs,
dans l'ombre des patios et des venelles.
Elles aiment,
elles gardent dans leurs veines
le sang
des hétaïres sacrées[87].

---

[87] Poème paru, dans une version légèrement différente, dans *Trois*, 3, Laval, Éditions 3, 1988.

UNE ÉMOUVANTE SOLITUDE

Grande rivale de Sélinonte, Ségeste provoque l'intervention d'Athènes dans l'île, en 415 av. J.-C., et celle de Carthage, en 409 av J.-C. Les vestiges importants de son passé glorieux sont le temple et le théâtre.

Au-dessus des collines rousses
décline le soleil.

Nature et vestiges s'organisent
pour illustrer Virgile.

Énée trace avec la charrue
l'enceinte de la ville
et tire au sort
l'emplacement des demeures.
« Ceci, dit-il, sera Ilion
et ces lieux seront Troie »[88].

Je me rappelle
qu'on a tant écrit de ce lieu,
et tant rêvé.

Je rêve,
moi aussi,
les yeux perdus
entre deux rideaux d'agaves,
qui montrent,
sur la verte chair de leurs feuilles,
des mots d'amour

---

[88] Virgile, *Énéide*, V, 755 et suiv.

et respirent les promesses
d'amants et de fiancés.

Je monte lentement vers le temple,
maison inachevée
de la Troyenne Égeste[89].

Solitaire,
debout,
il se détache sur l'immense vert,
et décore la campagne
sans limites
d'une triste fertilité.
Élymes, Sicanes et Troyens
hantent encore sa noblesse et son passé.

Le vent murmure dans les colonnes,
les oiseaux planent et criaillent,
sur l'entablement et les frontons,
parmi les herbes sèches et les lézards.

Les bourdons voltigent sur les chardons,
le haut fenouil, sauvage et desséché,
sur le bord de la vallée,
rappelle Prométhée et son audace[90].

---

[89] Égeste, venue en Sicile avant la destruction de Troie, est la mère d'Aceste. C'est le fleuve Crimisos qui la féconde sous la forme d'un chien. Le récit est probablement une transcription d'un mythe local qui fait d'Égeste une Grande Mère fécondée par le fleuve de la contrée.

[90] Prométhée, pour aider les hommes, ses protégés, monte au ciel, dérobe des parcelles de feu à la roue du soleil et les rapporte sur terre dans une tige creuse de fenouil sauvage.

AU SOMMET DE LA COLLINE

Un petit théâtre occupe le faîte de la colline où se dressait la ville d'Égeste. De construction hellénistique, il date des premiers temps de l'occupation romaine (IIIe siècle av. J.-C.). Il possède une vingtaine de gradins creusés à même le rocher.

Il est au centre
d'une couronne de monts,
en ligne avec la mer bleue.
Il domine un immense plateau,
le golfe et les côtes d'Éryx.

Le sentier qui mène au faîte,
parcourt le silence de la colline.
Les tiges sèches
murmurent sous la caresse du vent.
Une caille volette
au-dessus des champs de chaume,
me guidant jusqu'aux gradins.

Sur la scène,
au bord d'un abrupt vertigineux,
Vénus séduit Phèdre
pour l'offrir à Hippolyte.
Le fils de Thésée
distribue la tâche à ses compagnons
sur la piste du gibier.
Phèdre,
saisie d'amour fatal
pour le fils de son volage époux,
descendu aux enfers,
tente sa farouche vertu
qui méprise les plaisirs de Vénus.

Hippolyte se détourne,
avec horreur,
d'un amour deux fois coupable[91].
Mais la perfidie d'une marâtre
et la crédulité d'un père
le condamnent.
Le drame, surgi de la mer
par oeuvre de Neptune,
traîne son corps et son âme
à travers rochers et buissons.

En face,
sur le fond de la vallée,
les nuages libèrent
des flaques de ciel bleu.
Ombres et lumières se disputent,
pendant qu'un troupeau
au dos laineux,
guidé par la cloche du mouton,
se dirige vers l'étable,
à l'appel du repos nocturne.

---

[91] Phèdre, en effet, est la femme de Thésée et Hippolyte est un fidèle
de la déesse Diane qui fuit l'amour.

LES ENFANTS DE LA MORT

Ville punique de la Sicile occidentale, fondée par les Phéniciens à la fin du VIIIᵉ siècle av. J.-C., Motyé est détruite par Denys de Syracuse en 397 av. J.-C. Impressionnants sont les vestiges des fortifications autour de l'île et admirables ceux des habitations, parmi lesquelles la plus belle est la maison des mosaïques. Le Tophet[92], avec les restes calcinés d'enfants sacrifiés, témoigne d'un culte chargé de frissons.

Frissons froids,
qui m'étouffent,
montent de l'aire sacrée
où les Phéniciens
immolent leurs premiers-nés.

Chairs innocentes,
brûlées par la foi des hommes
pour le Maître du brasier,
reposent incertaines,
entre os et cendres,
sous des stèles décorées,
dans le triangle macabre
du Tophet.

Écrasé sous le poids du ciel
qui menace sans arrêt les mortels,
le fils de la crainte
sacrifie la chair de sa chair
pour la paix de l'esprit.

---

[92] Le sanctuaire phénicien où l'on pratiquait les sacrifices humains. C'est Gélon, après la victoire d'Himère, qui met fin à cette pratique.

Au Maître Ba'al Hammon[93],
cette stèle qu'a dédiée
Hannus, fils d'Adoniba'al,
fils de Gerastart, fils d'Adoniba'al,
car il a écouté sa voix[94].

Sémitique et noire,
cette coutume barbare
témoigne d'un culte ancien
qui tue la vie
pour apaiser la mort.

Tanit,
aux bras levés,
la source de l'amour,
regarde en silence[95].

---

[93] Le grand dieu de Carthage que les Grecs assimilent parfois à Apollon. Il est appelé aussi le maître des stèles.

[94] C'est l'inscription d'une stèle punique conservée au Musée archéologique de Palerme.

[95] Tanit est le nom punique de la déesse Ashtart. Principale divinité de Carthage, elle est la déesse de la fécondité. Son signe est une stylisation d'une silhouette humaine.

UNE JAMBE DE TRINACRIE

En face de la Libye, Lilybée revendique sous son nom tout le territoire habité par les anciens Siciliens. Ce sont les Carthaginois qui fondent cette nouvelle cité avec les survivants de la destruction de Motyé, mais il semble qu'un village élyme existait déjà à cet endroit. La ville résiste à Denys l'Ancien (368 av. J.-C.) et aux assauts de Pyrrhos (276 av. J.-C.) et des Romains (253 av. J.-C.) grâce à ses fameuses fortifications. Mais elle doit céder à ces derniers après la victoire navale des îles Égades (241 av. J.-C.).

Habitat élyme, puis grec,
pendant longtemps
une Sibylle oraculaire
incarne la Grande Mère,
auprès d'un puits.

Lilybée,
forteresse de Carthage,
est la troisième jambe de Trinacrie[96].
Ses vestiges :
un siège de dix ans[97],
Romains et Sarrasins,
plus tard,
mille volontaires[98]
qui effacent son passé.

---

[96] Les trois pointes du triangle de l'île sont formées par les promontoires suivants : le cap Pachino, au sud, le cap Peloro, au nord, et le cap Lilibeo, au sud-ouest. Ce sont les trois jambes de la *Trinacria*.

[97] De 250 à 241 av. J.-C. Pendant ce long siège de la part des Romains, la ville était ravitaillée par le pirate Hannibal le Rhodien.

[98] Les soldats de Garibaldi, qui débarquent à Marsala le 11 mai 1860.

Une villa en mosaïques,
rêves de chasse,
quatre fauves et un cerf,
quatre saisons autour de Trinacrie,
le grand symbole,
un chien de garde[99].

Les Sarrasins en font *le port de Dieu*,
Marsala,
dont les vignobles
étendent sur les coteaux
un tapis verdoyant.

Sur la place écrasée de soleil,
quelques ouvriers,
teint, profil, moustache
et gentillesse arabes,
profitent du dimanche
affalés sous les chênes verts
de *la passeggiata*[100].

Au centre,
une dame, en zinc ou en cuivre,
posée, nue, en face d'un âne,
sur un socle cylindrique,
boit d'un tonneau,
trichant sans vergogne avec Dionysos.

---

[99] Il s'agit d'une villa romaine du IIIe siècle dont les fouilles ont mis au jour de belles mosaïques qui nous présentent des scènes de chasse, la figure de *Trinacria,* un *caue canem* (« prends garde au chien »).
[100] La promenade.

LA VILLE D'ACHE

Le site de Sélinonte est l'un des plus émouvants de toute la Sicile. Trois zones sacrées dans une solitude bien préservée, digne de la plus poignante scène de tragédie. Ses gigantesques ruines gisent dans un désordre indescriptible, au milieu de champs caillouteux, où pousse le persil sauvage qui donne le nom à la ville.

Ville jadis aimable et douce,
séjour heureux
des palmes et des dieux,
Sélinonte
gît à présent
dans l'oubli et le silence de ses vestiges,
sous la chaleur,
parfois torride,
peuplée d'ache et de lézards.

Au-delà des espaces fouillés
boursouflant les collines,
j'imagine
l'immense ville antique,
descendant
vers le mince Sélinos[101],
les eaux tristes
comme un Styx[102].

Le parcours,
d'herbes sèches et limaçons,

---

[101] Le Sélinos, ajourd'hui Modione, est l'une des rivières qui délimitent le plateau de l'acropole.

[102] Un fleuve des Enfers.

mène aux dunes,
sauvages et capricieuses,
où Déméter-Malophoros[103]
s'allie à Hécate
pour féconder la mort.

Là-bas,
la vigne se nourrit
de tombes phéniciennes,
où la piété
a couché les générations,
où le pied bute
contre les siècles écoulés.

Seuls Héra,
sur la colline orientale,
et Héraclès,
au sommet de l'acropole[104],
sont de retour
dans leurs temples
qui triomphent et chantent
pour les adorateurs d'antan[105].

---

[103] Au-delà du Sélinos, Déméter possède un sanctuaire chthonien près de la nécropole de Manicalunga. Elle y est adorée comme *Malophoros*, c'est-à-dire porteuse de fruits ou de grenades. C'est une ancienne Mère sicane, une divinité qui dispense la fertilité et la vie éternelle.

[104] Les temples de Sélinonte sont classés par les archéologues sous des lettres alphabétiques, car rien de précis n'indique à quelles divinités ils sont dédiés. Ici, il s'agit du temple E, considéré comme un Héraion (consacré à Héra), à cause d'une stèle votive qui y a été retrouvée, et du temple C, attribué par la tradition à Héraclès. Ce sont les deux seuls temples qu'on a redressés, bien que partiellement.

[105] Repris, à peine modifié, de *Mélanges Ernest Pascal, op. cit., 1990.*

8. Le tombeau de Pirandello.

Le tombeau de Luigi Pirandello, vu par Nino Ucchino. Pirandello est né
à Agrigente, qui s'appelait alors Girgenti, dans la localité qui porte le nom
de Villaseta. À sa mort, conformément à sa volonté, ses cendres ont été
placées dans un bloc de tuf sous le pin solitaire de Caos.

CHAPITRE V

AGRIGENTE ET SA PROVINCE

Agrigente surpasse la plupart des autres villes en force et en beauté... La nature et l'art se sont réunis pour la mettre à couvert d'insulte de quelque côté que ce soit.

Polybe, *Histoires*, IX, 8.

Fondée en 582 av. J.-C. par des colons de Rhodes et de Crète, Agrigente s'appelle à l'origine Acragas, du nom du fleuve qui coule dans les parages. Les habitants s'installent sur les deux collines, qui deviennent l'acropole et la Roche d'Athéna, et font de la ville une base importante pour l'expansion de la civilisation grecque en Sicile.

Elle devient riche et puissante sous Phalaris (570-554 av. J.-C.), le tyran qu'elle finit par lapider, et connaît une prospérité sociale et militaire sous Théron (488-473 av. J.-C.), surtout après la victoire d'Himère.

Mais en 406 av. J.-C., après un siège de huit mois, la ville doit céder aux assauts des Carthaginois qui la réduisent à un tas de ruines. Abandonnée pendant longtemps, elle reprend vie vers la fin du IVe siècle av. J.-C. et retrouve même ses anciens fastes. Mais bien vite, elle tombe sous la domination romaine. Acragas devient le « grenier de Rome ».

Après la chute de l'Empire romain, Agrigente subit, comme toute la Sicile, les diverses dominations, d'abord la byzantine, l'arabe et la normande, ensuite celle des Souabes, des Espagnols et des Bourbons.

Un itinéraire archéologique intéressant, dans la province d'Agrigente, comprend Héracleia Minoa, liée à la légende de Dédale et Minos[106], Licata, ville grecque du IIIe siècle av. J.-C., Monte Adranone, ville indigène hellénisée au VIe siècle av. J.-C. et détruite par les Romains au cours de la première guerre punique, Monte Saraceno-Ravanusa, une autre ville indigène hellénisée par Géla et Agrigente, sur la rive occidentale du Salso, l'antique Himère, et, enfin, S. Angelo Muxaro, dans la vallée du Platani, identifiée à Camicos, citadelle du roi Cocalos.

Entre Sélinonte et Agrigente se trouve Siacca, fondée au VIIe siècle av. J.-C. par les Sélinontins qui en font leur station thermale.

Chaque domination a laissé à Agrigente ses traces. La ville est aujourd'hui un centre d'intérêt archéologique très important.

Aucun site, même en Grèce, ne présente une vue aussi complète de l'architecture hellénique à la fin du Ve siècle av J.-C. Dix temples, dont sept sur ce qu'on appelle la vallée des temples, c'est-à-dire sur la terrasse méridionale, un sur l'acropole, un sur la Roche d'Athéna, un près du fleuve. Le mieux conservé est le temple de la Concorde, de style dorique, du Ve siècle av. J.-C. C'est un témoignage parfait de la civilisation de la Grande Grèce.

---

[106] Dédale, pour échapper à Minos, se réfugie auprès de Cocalos, le roi des Sicanes. Minos le rejoint pour se venger, mais est assassiné par les filles de Cocalos.

LE SOLEIL SUR LES TEMPLES

Agrigente, « la plus belle des villes mortelles », au dire du poète de Thèbes (Pythiques, 12, 1), égrène, au-dessus de la mer qu'elle domine, son prestigieux chapelet de temples dorés. Dans ce qu'il en reste, ceux-ci ont encore des formes si convaincantes qu'il suffit d'un petit effort d'imagination pour les revoir tels qu'ils étaient, quand l'homme et le temps ne les avaient pas encore entamés.

Édifiés dans un calcaire coquillier,
sur une terrasse sacrée,
les temples d'Acragas[107] séduisent,
surtout dans la lumière tamisée,
dans les pénombres striées
d'un soleil doux,
à son lever ou à son coucher.

Le temple d'Hercule[108],
archaïque, le plus ancien,
aux chapiteaux plats et évasés,
domine le carrefour de la vallée.

Amas hallucinant de nobles pierres,
il dessine encore l'étroite cella
que des colonnes,
solides comme le héros,
entouraient de protection.

---

[107] Faute de descriptions antiques, ils sont tous anonymes. La tradition archéologique les désigne par des noms conventionnels.

[108] La construction du temple d'Hercule remonte à 520 ou 511 av. J.-C. Il est très allongé, avec 15 colonnes sur les grands côtés et six en façade. En tout, 38 colonnes hautes de 10 mètres. Huit seulement ont été relevées, en 1924, dont quatre avec les chapiteaux.

Relevées de leur silence,
par une amoureuse anastylose[109],
huit défient le ciel d'Agrigente
et l'embellissent
comme le décor d'un théâtre antique.

Hercule,
réchappé de la convoitise de Verrès[110],
grâce à une grêle de pierres
sur les soldats nocturnes,
lutte, depuis, contre le temps inexorable
qui, hélas, tue sans appel.

La route monte,
longe la *Villa Aurea*,
un jardin, une catacombe,
les vestiges d'une nécropole.

Les yeux hagards se brouillent
un moment
avec le ciel pourpre,
puis se posent
sur la merveille de Sicile.

---

[109] L'anastylose est un procédé de reconstruction d'un édifice à partir des éléments retrouvés sur place, que l'on remonte selon les principes architecturaux d'origine.

[110] Cicéron, chargé de faire une enquête sur place, a visité le temple. Il raconte comment la statue d'Hercule, placée à l'intérieur du temple, a pu être sauvée d'un vol organisé par Verrès. Ce sont les Agrigentins qui mettent en fuite les soldats romains chargés du vol. Protecteur de Sicile où il règne en despote, Verrès, collectionneur maniaque, dépouille le pays de toutes ses plus belles oeuvres d'art.

Concorde est son nom[111],
un temple, presque intact[112],
qui garde la splendeur d'antan.
Le soleil couchant
enveloppe son noble visage
d'une couleur de miel.

Je me dépouille du temps,
et soudain,
dans la lumière dorée,
une procession de prêtres antiques
avance vers le parvis.

Elle s'élève majestueuse
vers la colonnade,
silencieuse
elle s'arrête dans la salle,
derrière le grand-prêtre
qui pénètre dans le naos.

Tout autour,
des fidèles apportent des offrandes,
d'autres se pressent,
un pigeon à la main[113].

---

[111] Construit en 450 av. J.-C., consacré à la déesse de la Paix et de la Fécondité, ce temple reçoit le nom de Concorde, dénomination due à une dédicace romaine, en souvenir des souhaits de paix qui ont guidé les habitants d'Acragas au moment de sa construction. Architecture dorique de forme périptère, le temple est entouré de 34 colonnes à 20 cannelures.

[112] Il doit cette conservation au fait qu'il a été transformé en église chrétienne à la fin du VIe siècle.

[113] La partie du poème consacrée au temple de la Concorde a été publiée dans *Mélanges Ernest Pascal, op. cit.*, 1990.

Une fillette,
qui gaule en silence un amandier,
me ramène sur la route sacrée
de mon pèlerinage,
vers la crête rocheuse,
où Junon lacinienne[114] m'attend.

Son temple, élégant et sensuel,
est fier de ses colonnes,
coiffées d'une architrave.
Il domine la plaine,
les landes de cactus et d'agaves,
les champs brûlés, les ravins arides,
et le panorama, vaste et rond, de la mer.

Un dernier regard, sous le soleil,
resplendissant de pourpre et d'or,
qui s'achève
dans l'éclat de son bonheur.

Lentement je me dirige vers le *Caprice*,
où le poème sacré de la terrasse
s'enivre, à la lumière d'une chandelle,
dans un rouge de *Donnafugata*.[115]

---

[114] *Lacinienne* est un surnom de Junon qui vient de Lacinium, promontoire à l'entrée du golfe de Tarente, où il y avait un temple de la déesse. C'est par analogie avec le fameux temple de Crotone que les archéologues ont donné ce nom au temple d'Agrigente. Construit vers 470 av. J.-C., partiellement anastylosé au XVIIIᵉ siècle, le temple conserve 25 colonnes de style dorique. Neuf autres sont mutilées.

[115] Vin sicilien de haute qualité, dont le nom, sorti d'une légende liée au Château de Donnafugata, veut dire « femme en fuite ». Le *Caprice* est un restaurant typique et délicieux qui fait presque partie de la terrasse.

LE REPOS D'UN TÉLAMON

La terrasse des temples, séparée par la route qui mène à la ville moderne, se poursuit dans la zone occidentale, de l'autre côté du carrefour, où sont regroupés des monuments si célèbres que l'on venait de la Grèce pour les admirer. L'un deux est certainement le temple de Jupiter olympien.

Sur la terrasse,
une place d'honneur à Jupiter,
le père des dieux et des hommes,
le roi de l'Olympe.
Son temple,
jadis unique dans sa beauté[116],
languit, immobile, sous le soleil.

Colonnes et chapiteaux
gisent
dans le millénaire silence
des soubassements coupés de crevasses.

Un télamon[117],
tombé de sa console,
ventre en l'air,
visage rongé par le temps,

---

[116] En effet, le temple, construit après la victoire d'Himère, n'est pas entouré, selon la tradition, de colonnades. Il se présente comme un quadrilatère pseudoptère avec des demi-colonnes engagées dans le mur plein, épaulées à l'intérieur par des pilastres, engagés également. Entre ces demi-colonnes, des statues masculines, mesurant 7,75 mètres et placées sur des consoles, soutiennent de leurs bras les blocs de l'architrave. Les métopes sont lisses et les frontons décorés de scènes de bataille.

[117] *Télamon* ou *atlante* est le nom que l'on donne aux figures masculines qui soutiennent un entablement.

repose nu
sous les regards indiscrets
des visiteurs.

Comme ses frères
barbus ou imberbes,
caryatides au masculin,
il évoque les divins jumeaux[118],
adultes ou adolescents,
soutenant d'un bras puissant
la lourde masse
de la paternelle demeure.

Décombres gigantesques,
colonnes éboulées,
restes augustes
où les lézards font l'amour
dans la chaleur torride de l'été.

---

[118] Les télamons sont interprétés comme les figures des Dioscures, fils de Zeus.

AU FOND DE LA TERRASSE

Tout au fond de la terrasse, s'élèvent le temple des Dioscures, mieux connu sous le nom de temple de Castor et Pollux, et un ensemble cultuel archaïque, avec des trésors, des autels et des enceintes sacrées très anciennes.

Des autels ronds ou carrés,
groupés par deux,
perpétuent l'énigme
des divinités ambiguës
du rêve et de l'inconscient.

D'une époque sicule,
récupéré
par les dieux solaires de l'Hellade,
ce culte indigène
devient complice
de Déméter et Perséphone,
familiarise avec Diane.
Les nymphes,
fidèles servantes,
suivies de chiens et de taureaux,
l'alimentent de grâce et de beauté.

Quatre colonnes,
un morceau d'architrave,
incarnent le mystère des Dioscures[119]

---

[119] Le temple, à sa découverte, était un cumul de débris. C'est en 1836 que l'on a pu remettre en place quatre colonnes et une partie de l'architrave et attribuer l'édifice divin aux Dioscures sur la foi d'une ode de Pindare qui fait allusion à leur culte à Acragas.

sur l'esplanade
jadis entourée de cyprès noirs.

Une émotion divine
envahit mes sens,
pénètre en moi,
une envie de m'agenouiller
ploie mon corps
devant ces restes
d'une foi millénaire.

De l'autre côté du ravin,
solitaires sous un ciel bleu,
deux colonnes tronquées,
enracinées
sur le rocher de la rivière,
rappelle Vulcain[120],
artiste divin et génie du feu,
docile au soufflet et fondeur de métaux.

---

[120] Construit au Ve siècle av. J.-C.

UN SANCTUAIRE D'EAU

Sur la pente sud de la Roche d'Athéna, se dressait, au Ve siècle av. J.-C., un petit temple de Déméter, devenu, au XIIe siècle, l'église de S. Biagio. Celle-ci couvre la cella mais le pronaos est encore visible derrière l'abside. Les soubassements aussi appartiennent au temple ancien. Tout à côté, sur la pente abrupte de la Roche d'Athéna, se trouve l'un des plus anciens sanctuaires d'Agrigente.

Sentiers escarpés
descendent brusquement
les pentes du ravin,
couvert d'une brousse épineuse,
vers une retraite
enfouie dans la faille d'un mont.

Une petite terrasse,
suspendue dans le vide,
contre la montagne,
garde,
avec amour et jalousie,
l'énigme d'Agrigente.

C'est un petit sanctuaire[121],
voué au culte de l'eau fécondante
des premières aurores sacrées,
qui cède à Déméter et Perséphone,
nouvelles déités chthoniennes,
les secrets de Terre-Mère.

---

[121] Il remonte au VIIe siècle av. J.-C. Découvert en 1926, il est le plus ancien d'Agrigente, antérieur même à la fondation de la cité grecque.

Grosses pierres superposées
habillent la paroi rocheuse
au débouché de deux grottes,
qui s'enfoncent dans la montagne,
jadis réceptacle d'offrandes
et de milliers d'ex-voto.

Les petits bustes
de Déméter ou Perséphone,
les lampes et les tablettes,
expriment souhaits et remerciements
aux déesses de la Terre,
source de vie et de repos[122].

Un conduit d'argile sort d'une grotte
jusqu'aux bassins,
creusés dans le tuf,
où les Sicanes, les Sicules,
et, ensuite, les Grecs
arrosent le corps d'eau sacrée.

Un croissant de lune s'allume
dans le crépuscule violet de la ville.
La Bonne Déesse,
celle qui nourrit
et nous recueille en elle,
me sourit
les mains pleines d'épis et de pavots.

---

[122] On a découvert aussi d'étranges vases votifs dont la forme, inconnue des Grecs, est certainement empruntée aux cultes indigènes antérieurs. Il s'agit de tubes, dotés d'oreilles et d'une chevelure de femme, qui s'enfoncent dans le sol.

LA SOURCE D'ESCULAPE

À quelques centaines de mètres en retrait de la route, en direction de Syracuse, se trouve le temple d'Esculape, érigé en l'honneur du dieu guérisseur des Grecs, Asclépios, au Vᵉ siècle av. J.-C. Il s'agit d'un petit temple distyle « in antis », situé près du lit de l'Acragas. À l'intérieur il y avait, semble-t-il, une statue d'Apollon sculptée par Myron.

Un âne,
avec une selle,
deux sacs et un éphèbe,
avance, d'un pas saccadé
sur un sentier abandonné
par les dieux et par les hommes,
lourd de senteurs,
menthe,
lauriers-roses et géraniums.

Je le suis,
sous le charme d'une chanson,
que son maître,
à califourchon,
module,
mélodieuse et pénétrante,
comme une triste mélopée du désert.

Lentement il s'arrête,
comme pour déposer des malades
près de la source sacrée,
où le dieu,
compatissant,
les attend pour les guérir.

En vain,
je cherche les serpents et leur bâton,
une pomme de pin,
une couronne de laurier,
une chèvre, un chien[123].

Le temps a tout effacé,
l'eau et le dieu,
agréables présences
alors que troubles et malheurs
s'abattent sur la ville[124].

Des ruines du petit temple,
on voit l'antique cité,
avec ses temples sur la terrasse.
Elle se noie dans la lumière
d'un soleil qui, jaloux,
vole,
selon les heures,
une couleur à l'arc-en-ciel.

---

[123] Ce sont les attributs ordinaires d'Asclépios.
[124] C'est le moment où Athènes également se dote d'un Asclépiéion.

LE PIN SOLITAIRE

Luigi Pirandello (1867-1936), l'écrivain qui a marqué de son empreinte la littérature internationale, surtout le théâtre, est né à Agrigente, qui s'appelait alors Girgenti, dans la localité qui porte le nom de Caos. À sa mort, conformément à sa volonté, ses cendres ont été placées dans un bloc de tuf, sous le pin solitaire.

Assis sur le banc,
à l'endroit où souvent il méditait,
j'ai envie de prier,
dans la solitude du Caos,
où planent, comme des aigles,
des souvenirs enflammés
de littérature et de folie.

Le grand dramaturge
de l'âme moderne,
est là, dans cette roche,
à l'ombre du grand pin[125].

Du chantre jaloux et violent,
interprète,
témoin fidèle et clairvoyant,
les cendres, encore chaudes,
évoquent
les passions et les tabous,
les travers et les vices
des créatures de son génie.

---

[125] Un ouragan récent, en septembre 1997, a frappé avec violence l'arbre qui recouvre de son ombre la dernière demeure de Pirandello.

Dans le silence bleu de la falaise,
le calme s'étend,
réparateur,
sur les fanatismes et préjugés,
grandeurs et distorsions
d'une société
que le regard aigu de ses écrits
a poursuivis.

Une brise de poésie,
gardienne fidèle de Villaseta[126],
caresse mon émotion rêveuse.
Une larme légère
sillonne ma joue,
au souvenir du grand maître.

À ce signe de tendresse,
les Muses,
chanteuses divines,
accourent,
entourent de charme
le pin protecteur,
saluent l'aède du Caos.

Puis,
elles m'accompagnent,
comme un roi d'autres temps,
et murmurent des mots doux
pour apaiser
mon coeur et mon esprit.

---

[126] C'est le nom de la localité, près d'Agrigente, où se trouve la maison, devenue musée, de Luigi Pirandello.

9. La madone byzantine.

Ispica est une vallée, taillée dans les monts Iblei, où se trouvent des
nécropoles anciennes, des catacombes paléochrétiennes, des chapelles
byzantines. Les rides des parois des grottes dévorent les dernières traces
de madones et silhouettes blafardes d'un passé révolu.

10. La plante centenaire.

Avec la nécropole de Pantalica, celle d'Ispica est la plus importante de Sicile. Dans son paysage sec et funèbre, rongé par l'air et le temps, les agaves, aussi têtus que les hommes, défient le soleil et la mort. Ils vivent centenaires et ne fleurissent que la dernière année de leur existence.

CHAPITRE VI

RAGUSE ET SA PROVINCE

Vénus a prescrit que son tribunal se dresse parmi les
fleurs de l'Hybla. Elle présidera en personne et énonce-
ra ses lois, assistée des Grâces.
Anonyme, *Veillée de Vénus*, 49-52.

Fondée par les Sicanes, dans la région de Hybla Haerea,
l'actuelle Raguse s'appelle dans l'Antiquité Hybla. Hellénisée
par les habitants de Camarina, elle fait partie de la Grande
Grèce. Lors de l'occupation byzantine, elle reprend son importance, s'entoure de remparts et devient Ragusa, nom dérivé des
Ragusi de Dalmatie qui sont ses protecteurs.

Les Arabes s'en emparent en 848. Les Normands la transfor-
ment en comté et les Angevins la réduisent à un fief. Par la suite
on lui annexe Modica, dont le cachet dix-septième est encore
très présent, et l'ensemble passe sous le contrôle des Aragonais,
qui l'administrent d'abord à travers la famille des Chiaramonte,
puis à travers celle des Cabrera qui transfère le siège du fief à
Modica.

Après, ce sont les Henriquez, parents du roi d'Espagne, qui
la gouvernent. Elle est détruite par le tremblement de terre de
1693 et reconstruite sur un territoire plus large. En 1927, elle
devient chef-lieu de la province.

À signaler, comme patrimoine artistique, la cathédrale San
Giovanni Battista, l'église San Giorgio, l'église Santa Maria
delle Scale, l'église du couvent franciscain, l'église Santa Maria

dell'Idria, le palais Donnafugata d'Ibla.

Présentent un intérêt archéologique Cava d'Ispica, avec ses vestiges d'habitations troglodytiques, et Camarina, fondée par Syracuse à la fin du VIe siècle av. J.-C., qui s'étale sur un plateau vers la mer, où se trouve le temple d'Athéna, et sur deux collines.

Signalons également Comiso, Scicli, Vittoria, Chiaramonte Gulfi où l'on retrouve de beaux palais et de belles églises baroques. Mais c'est le château de Donnafugata, un des manoirs les plus prestigieux du sud, qui prolonge, à une vingtaine de kilomètres de la ville, la gloire de la Raguse du XIVe siècle, celle des Chiaramonte.

RAGUSE, LA DISCRÈTE

La région de Raguse est la moins connue de la Sicile. Rares sont les écrivains qui ont voyagé à travers ses terres et rares les éloges de la littérature. Le pétrole a fouillé lentement les vestiges de Raguse Hybla[127] et les églises de la Renaissance et du baroque dominent les conduits.

Panoramas
aux lignes délicates
l'entourent.

Des vallons
courent entre les croupes rocheuses
et tranchent le paysage,
dur et riche,
violent et prodigue,
de la renaissance sicilienne.

Ragusa et Hybla,
deux soeurs jumelles,
sont juchées sur des éperons,
longs et étroits,
au-dessus de vides sinueux,
couverts de jardins.

Les routes
grimpent dans le coeur de la ville,
frôlant les monuments
et les pièces d'histoire.

---

[127] Son nom s'écrit indifféremment Hybla ou Ibla.

C'est la Sicile discrète,
dont le charme est ivre
de soleil et dignité.
Hybla, la revenante,
vit dans l'harmonie du dix-huitième.
Les quartiers neufs,
de la jeune Raguse,
montent vers le haut plateau.

Deux coeurs, deux âmes,
deux histoires,
Ragusa Ibla,
est un chant à deux voix
qui caresse,
dans une vision de magie,
tufs brûlants et silencieux,
formes fuyantes
d'une mensongère perspective.

À l'horizon,
dans la buée de chaleur,
on devine Modica,
coulée blanchâtre sur une pente,
jadis foyer de révoltes et de complots,
qui complète la guirlande
des trois merveilles du comté.

Sur la côte,
dans le sable,
les serres d'Italie
captent le soleil
pour les fleurs et les légumes.

LA FONTAINE

*C'est un spectacle affligeant que celui des jolies fontaines,
souvent de pures oeuvres d'art, taries par le temps et abandonnées
au profit du progrès. Elles sont nombreuses à travers la Sicile,
surtout dans les petites villes du sud. Un jour, dans le silence du
midi, chaud et poussiéreux, je vois, au centre d'une place intempo-
relle, l'une d'entre elles.*

Elle soupire,
elle pleure sans arrêt,
par gouttes ou par gorgées,
sous les yeux distraits des passants.

Fanée
par l'indifférence perfide
du progrès,
elle résiste à l'oubli
et sourit au souvenir
des assoiffés d'antan.

Jadis,
elle remplissait la cruche
qui, à l'ombre du balcon,
éteignait,
de sa fraîcheur,
l'ardeur des lèvres brûlées.

C'est d'elle que l'eau sourdait
des entrailles de la colline,
battue par le soleil de feu.

En plein été,
prodigue et souriante,

elle attendait la foule.
Elle regardait
les corps allumés et en sueur,
s'entasser autour de l'eau,
pour puiser fraîcheur et réconfort.

Maintenant,
triste et abandonnée
dans le silence de la fin,
elle agonise
avec la faible plainte
d'un filet qui tombe.

DONNAFUGATA

Le château est en excellent état. Il montre le luxe du salon des glaces et de l'appartement de l'évêque, une belle collection de peintures et un charme légendaire. On dit que Blanche de Navarre, veuve du roi Martin d'Aragon, a été enfermée dans un petit hameau serré autour du château par le comte Bernardo Chiabrera qui voulait l'épouser de force. Blanche réussit à s'échapper. Sa fuite, devenue légendaire, a donné au château le nom de Donnafugata, c'est-à-dire « femme en fuite ». Donnafugata est aussi le nom d'un vin, très apprécié, digne de la sensuelle Sicile.

Cheveux épars,
comme une tête de papyrus,
les yeux perçants,
elle enivre,
d'un sortilège de méduse,
les lèvres
qui s'ouvrent à son parfum.

Une étrange volupté saisit ma langue,
un feu subtil
coule dans mes membres.
Ce nectar divin,
que les dieux n'ont pas connu,
me ravit
sur les pas de la femme en fuite.

Donnafugata.
Une bouche fière tachée d'écarlate,
des lèvres
légèrement entrouvertes,
un coin relevé.

Un nez mince,
on dirait classique,
dont les narines soudain se dilatent
en dessous des pommettes.

Une douce lumière éclaire ses yeux,
d'un brun indolent,
qui se tachent de vert
en bordure de l'iris.

Parfois chauds et brillants,
comme deux rayons de feu,
parfois frais et sombres,
comme l'intérieur d'une forêt,
ils me séduisent
comme le soleil le désert,
la lune les marées.

Dans sa retraite,
digne d'orgueil et de révolte,
je m'efface.
Telle une ménade,
couronnée de lierre,
brandissant le thyrse,
elle m'entraîne dans le cycle du dieu[128],
saisi et possédé,
tout ensemble folie et sagesse,
communion des créatures.

---

[128] Dionysos, fils de Zeus et de Sémélé, a inventé le vin. Le thyrse, est son attribut ainsi que celui de sa suite; c'est une tige surmontée d'une pomme de pin, de feuilles de vigne ou de lierre.

LE RETOUR DE CAMARINA

« De loin nous apparaît Camarina que les destins ont enchaînée pour toujours ». Cette allusion de Virgile (Énéide, III, 700-701) nous rappelle l'oracle de Delphes. Il avait interdit de dessécher le marais pestilentiel qui se trouvait près de la ville de Camarina, mais les habitants n'ont pas respecté la défense du dieu. Les ennemis ont pu ainsi entrer dans la ville à travers le lac desséché. Fondée en 598 av. J.-C., à une trentaine de kilomètres de Géla, Camarina, après avoir subi une première destruction en 550 av. J.-C. par Syracuse, et bénéficié d'une renaissance en 492 av. J.-C. par Hippocrate, tyran de Géla, est par la suite dépeuplée par Gélon et saccagée par les Carthaginois en 405 av. J.-C, pour enfin être anéantie en 258 av. J.-C. par les Romains. Pindare fait l'éloge d'un de ses citoyens, Psaumis, qui participe aux courses d'Olympie (Olympiques, IV et V).

Psaumis,
riche en quadriges et chevaux montés,
chante,
ô noble fille de Zeus,
Camarina et ton sanctuaire[129].

Toi,
patronne de sa cité,
qui couronnes de succès
les entreprises des courageux,
accueille sa vaillance
et sa piété

---

[129] Athéna est la patronne de Camarina. Elle est souvent représentée sur les pièces de monnaie. D'autres pièces représentent Héraclès, le fleuve Hipparis ou la nymphe Camarina avec un cygne. Celui-ci est le symbole des eaux du lac.

qui honorent
les eaux claires d'Oanis[130],
les canaux augustes d'Hipparis[131].

Que la nymphe Camarina,
douce fille d'Océan,
retourne sur son cygne
dans le lac aux eaux dormantes,
et de nouveau
la ville enchaîne pour toujours.

Et toi, Pallas,
sagesse des cités
pacifiques et courageuses,
frappe le sol de ta lance,
fais sortir de terre l'olivier,
richesse des terres antiques,
dont l'huile
éclaire et nourrit.

---

[130] Oanis et Hipparis sont les deux fleuves qui cernent Camarina. L'Hipparis s'élargit, au pied de l'acropole, en un lac qui donne son nom à la ville.

[131] C'est une expression de Pindare qui nous indique que sur les bras du fleuve Hipparis naviguent des radeaux pour le transport de matériaux de construction. Il ajoute: *son cours rapide vient assembler la haute forêt de vos solides édifices et il tire votre cité de la détresse.*

LES MORTS D'ISPICA

C'est une vallée, taillée dans les monts Iblei, où se trouvent des restes d'habitations primitives dont quelques-unes appartiennent à l'âge du bronze. Nécropoles anciennes, demeures troglodytiques, catacombes paléochrétiennes des IVe et Ve siècles, chapelles byzantines y font bon ménage.

Les nécropoles
recouvrent la Sicile
comme des ruches,
les catacombes
s'enfoncent dans la terre
comme des racines d'olivier,
les monts,
rongés par l'air et le temps,
n'ont pas effacé
la trace têtue des hommes.

Un sentier,
lourd de poussière et de soleil,
mène à la grotte d'un saint[132].
Les rides des parois
dévorent
les dernières marques de Byzance,
madones et silhouettes blafardes
d'un passé révolu.

Un autre sentier,
rocailleux et très étroit,
conduit aux *ruines* que l'homme,

---

[132] Il s'agit de la grotte *Saint-Nicolas*.

bien installé depuis toujours,
ne veut pas quitter.
Une pièce dans une grotte[133],
creusée dans le rocher,
offre
aux rayons brumeux d'un chaud soleil
une inscription, une peinture,
vestiges d'une gloire perdue.

Dans le ravin,
des grottes-maisons,
des sièges taillés dans le roc,
des sépulcres sicules.

Le *val Iaunari*,
nécropoles superposées,
et le *val d'Ispica*
complètent la féerie du paysage.
Les restes d'un château
tombent à pic
dans le vide.

Cava d'Ispica,
un lieu où les niches rupestres
cachent,
avec amour et jalousie,
les siècles et les ancêtres.

---

[133] C'est la grotte Sainte-Marie dont la façade s'est effondrée.

11. Un fleuve de feu et d'eau.
Les laves qui recouvrent les flancs de l'Etna offrent toujours un spectacle hallucinant. Dans la gorge d'Alcantara, elles montrent un chef-d'oeuvre de mystère et poésie. Un fleuve de feu a créé un décor stupéfiant où les eaux dansent et chantent sur une musique divine.

12. Le lit d'Éros.

Le fenouil sauvage, plante vivace, surtout des collines et des montagnes comme l'Etna et le mont Vénus, reprend, chaque printemps, son lit de feuilles filiformes et tendres sur lequel Éros aime se reposer. Entourée d'une brise sensuelle, la jeune Galatée y rencontre son bel Acis.

CHAPITRE VII

CATANE ET SA PROVINCE

> Atteint en plein coeur, Typhée (...) gît près d'un détroit
> marin, comprimé par les racines de l'Etna, tandis qu'au
> haut de ses cimes Héphaïstos installé frappe le fer en
> fusion.
>
> Eschyle, *Prométhée enchaîné*, 361 et suiv.

Fondée, sous le nom de Catané[134], par les Chalcidiens de Naxos, qui succèdent aux Sicules et aux Phéniciens, la ville de Catane est située à l'une des extrémités de la plaine du Symaithos et dominée, au nord, par la masse menaçante de l'Etna. Occupée par le tyran de Syracuse, Gélon, en 476 av. J.-C., Catane, après de nombreuses aventures qui se soldent par la défaite de Syracuse, passe sous la domination romaine en 263 av. J.-C. Elle se dote de palais, de temples, de théâtres que les tremblements de terre et les coulées de lave font malheureusement disparaître.

Après cette période de splendeur, la ville subit la domination des Byzantins, des Arabes, des Normands, des Souabes et des Aragonais.

La violente éruption de l'Etna de 1669 et le tremblement de terre de 1693 détruisent complètement la ville. Mais Catane resurgit avec énergie et fait face à tous les obstacles pour

---

[134] *Catané*, en grec, *Catana*, en latin, veut dire en sémitique « la Petite ». C'est probablement un mot phénicien que les Grecs ont adopté.

devenir un des centres industriels importants de la Sicile.

Les vestiges d'époque grecque sont insignifiants, mais ceux d'origine romaine sont importants : le théâtre, réfection du théâtre grec, qui montre bien sa *cavea* et les trois corridors semi-circulaires qui donnent accès aux gradins, l'odéon, l'amphithéâtre, dont subsiste le corridor inférieur, les thermes d'Achille, les thermes de la Rotonde. Tous ces monuments cèdent le pas, à travers les siècles, aux monuments normands (la cathédrale, le château Souabe, appelé château Ursino), et à la richesse du baroque (rue des Crociferi, palais Biscari, église Saint-Démètre, monastère et église des Bénédictins, porte Garibaldi, place de l'Éléphant).

Les églises de Catane, assez nombreuses, méritent également une attention particulière. De style baroque pour la plupart, elles possèdent des décorations, des fresques et des peintures de grande valeur.

À signaler dans la province de Catane, vers la mer, Acireale, Aci Castello, Acitrezza, Giarre, Riposto; dans l'intérieur, Caltagirone, Randazzo, Vizzini et Adrano; autour de l'Etna, Nicolosi, Trecastagni, Zafferana et Linguaglossa.

L'Etna est évidemment le haut lieu de la province de Catane. La nuit, le volcan lance dans le ciel des étoiles filantes, le jour, il se pare d'un austère panache.

LA VILLE D'AGATHE

Catane est une ville marchande, industrieuse. Dessinées dans la pierre de lave, ses lignes vigoureuses sont allégées par la préciosité du baroque du dix-huitième siècle. Chargée de trésors architecturaux, de jardins, elle est parfumée par les orangers qui l'entourent. Elle est la ville de sainte Agathe, sa patronne, martyrisée en 251, qui reçoit un culte semblable à celui que l'on rendait dans le passé à la déesse Isis.

Chaque pierre
est un travail amoureux
de gens
qui savent repousser
la force explosive du volcan.

Un château,
siège des monarques d'autrefois,
se dresse,
trapu,
entre ses quatre tours[135].

Ailleurs,
décors baroques,
vieux palais, églises, monastères,
grandes artères,
perspectives
dignes des grands du royaume,
mais aussi les taudis,
les monuments des pauvres.

---

[135] Il s'agit du Castello Ursino, bâti en 1239 environ par Frédéric II Hohenstaufen. Son nom pourrait, semble-t-il, venir d'un château romain appelé *Arsinium*, propriété d'un consul.

La Place[136],
est le centre animé de la cité.

Au milieu,
dans la fontaine[137] ,
l'éléphant de lave,
porte sur son dos un obélisque
et contemple,
avec sa trompe aux aguets,
la ville dont il est le symbole.

Le Dôme
dresse ses volumes arrondis
qui couvrent trois nefs,
un transept et trois absides.

La sacristie souterraine
garde
le trésor de sainte Agathe,
son sein de martyre,
dans un ostensoir en cristal,
entouré de dentelle,
son voile miraculeux, rouge, brodé d'or,
que l'on porte en procession
quand l'Etna se fâche[138].

---

[136] C'est la Piazza del Duomo, bordée d'édifices baroques.

[137] La fontaine de l'éléphant sculptée en 1736 par Vaccarini. L'éléphant est une sculpture provenant, semble-t-il, d'un temple de l'ancienne Catane.

[138] En 252, juste après la mort d'Agathe, la lave s'arrête devant le voile de la sainte. Un miracle semblable, païen, s'était déjà produit en 121 av. J.-C., avec les frères *Pii*. Ils réussirent à sauver leurs parents de l'incendie de leur cabane grâce à la lave qui s'ouvrait sur leur passage.

Sa fête,
qui rappelle celle d'Isis,
commémore le retour de ses reliques
que deux pieux voleurs
ont rapportées de Constantinople[139].
Son buste,
porté par des hommes en blanc,
le matin s'en va à la mer,
et le soir rentre au Dôme.

Cueillie à la mer,
un enfant dans ses bras,
Isis aussi est portée dans la ville
au coucher du soleil.
Les initiés en tunique blanche,
la pressent de dispenser
le lait de la fécondité.

Un prêtre fait des libations
avec un pot en or,
en forme de mamelle.
Les femmes enceintes
apportent
des seins d'argile à la déesse.

Aujourd'hui encore,
les jeunes mamans
offrent à Agathe des *minnuzzi*[140]
pour un heureux allaitement.

---

[139] En 1126.
[140] Des seins en cire.

UN JARDIN DANS LE FEU

Les paysans siciliens sont de véritables héros de la terre. Jamais battus, ils bravent le farouche Etna dont ils épousent la lave pour la transformer, avec l'aide des vents cléments, en terre fertile.

Dans un drap de fumée et de nuages,
derrière l'écran d'une épaisse forêt,
il n'exhibe
que des abîmes livides
et des sommets.

Le silence
a un sens de panique,
comme si les conques écartées,
les hauteurs désolées
étaient peuplées de loups et de fantômes,
mais il féconde,
comme une prière de moines,
la montagne.

Les hommes la dépouillent.
À leurs pieds,
la lave où bouillonne le feu.
Mais sur la lave, dans le feu,
entre les cimes jalouses,
au coeur de la forêt,
un jardin surgit.

Une pommeraie luxuriante,
où des paysans,
lents et silencieux,
cueillent les fruits d'Ève.

Des vignobles enivrés de soleil,
enchâssés dans la roche,
où des vendangeurs,
lents et silencieux,
cueillent le doux raisin.

Des châtaigniers millénaires,
des oliviers d'argent,
qui ignorent les fleuves incandescents,
dévoilent
l'énigme de la vie
sur la montagne de feu[141].

---

[141] Paru dans *Trois*, 3, *loco cit.*, 1988.

LES SAISONS DU VOLCAN

Appelé Gibel Utlamat par les Arabes, d'où le nom de Mongibel-
lo, l'Etna est l'un des plus grands volcans actifs du monde et le
plus important d'Europe. Son visage se colore au rythme du soleil
qui éclaire et alimente ses 3335 mètres de hauteur.

Elles sont un poème pour initiés
les saisons du géant de lave.

L'hiver,
un long manteau de neige.

L'été,
un roc noir rougi par le soleil.

Le printemps,
une fantastique tache de genêts.

L'automne,
une fumée odorante de chaume brûlé.

Elles plongent leurs racines,
comme l'olivier de cinq mille ans,
dans le feu éternel,
source de mort et de fertilité.

C'est le feu de Vulcain,
de cuisine et de forge,
qui, parfois, déborde
de ses gouffres trop pleins.

L'AUTOMNE DES CRATÈRES

Parmi les déserts rongés de lave et couverts de scories de l'Etna, où souvent oranger, vigne, cerisier et châtaignier surgissent, le paysan, à l'approche de l'hiver, cherche le pommier et le silence de l'automne.

Parti à l'aube
pour le plus haut pommier
du monde,
il redescend à minuit
avec un sac de pommes.

Il a sur le dos
l'automne des cratères,
au goût de soufre et de nuages,
à la mélancolie tenace
qui pèse sur ses veines.

Sous la lave,
figée en mille sculptures,
bat le coeur d'un continent,
au rythme
de Vulcain et des Cyclopes.

Le châtaignier des cent chevaux,
surgi du fond des temps,
du feu éternel,
raconte les automnes d'hier
et dessine ceux de demain.

ACIS ET GALATÉE

Acis est le dieu du fleuve de ce nom, voisin de l'Etna. Avant d'être un fleuve, il est l'amant de Galatée que le cyclope Polyphème, lui aussi, aime éperdument. Un jour, le fils de Poséidon, aveuglé par sa jalousie, veut écraser son rival sous un rocher. Mais Acis se transforme en fleuve. Dans la région de Catane, plusieurs villages, parmi lesquels Acireale, Aci Castello, Aci Trezza, Aci Catena,[142] sont les plus connus, portent, en préfixe, le nom de l'amant de Galatée. L'histoire se déroule avant qu'Ulysse n'aveugle le géant.

Effrayant et sans forme,
dans le silence des siècles,
il émousse sa laideur
pour aimer.

Oublieux de ses troupeaux,
il brûle
d'une passion inconnue.
Il peigne ses cheveux,
il coupe sa barbe hirsute,
il mire dans l'eau son visage[143].

Il est devenu beau,
il n'a qu'un oeil, bien sûr,
mais comme le soleil,
il voit tout.
Il est grand,

---

[142] Les autres sont : Aci Sant'Antonio, Aci Bonaccorsi, Aci Santa Lucia, Aci San Filippo.

[143] Certains détails des personnages de ce récit sont empruntés à Ovide, *Métamorphoses*, XIII, 750 et suiv.

une abondante chevelure
ombrage ses épaules comme une forêt.

Lui qui méprise Jupiter,
le ciel et la foudre,
il tremble devant la fille de Nérée,
la blanche Galatée[144],
qu'il aime
comme le soleil d'hiver
et les prés du printemps,
comme l'ombre d'été,
et le raisin d'automne.

Risible et touchant,
le fils du souverain des mers
s'attache sans trêve à ses pas,
mais Galatée
n'aime pas son amour,
lourd et gauche.

Elle a donné son coeur à Acis,
le beau prince
aux joues délicates,
couvertes du léger duvet de ses seize ans.
Il est beau,
il a l'âge de Cupidon,
un corps de feu,
des cheveux blonds comme le blé.

---

[144] La mythologie connaît deux personnages de ce nom, dont l'étymologie rappelle la blancheur du lait. Notre Galatée est fille de Nérée, l'aîné de Pontos, et de Doris, l'une des Océanides.

Parfois coquine,
la fille de la mer
s'approche, à la dérobée,
du géant malheureux,
lance une grêle de pommes
sur son troupeau,
fait résonner sa voix à son oreille
pour railler sa timidité.

Il se lève
pour l'atteindre,
elle s'enfuit.

Le cyclope,
misérable,
se rassoit sur la grève.
Il chante des complaintes,
désolées,
pour attendrir le coeur de Galatée.
Il lui offre la Sicile entière,
son troupeau de chair,
de lait et de fromage,
ses vignes aux raisins d'or,
ses arbres verts et ses fraîches forêts,
fraises fondantes et rouges cornouilles,
châtaignes et arbouses.

Mais la belle Galatée
à ces trésors,
aux daims, aux lièvres et aux chevreaux
du grand berger
préfère Acis, le bel Acis,
dont les charmes l'envoûtent.

Visage de fleur,
grands yeux,
comme deux émeraudes,
animés d'amour et de passion.
Corps ferme et parfumé
qui vibre pour elle.

Tous les jours,
elle sort de la mer azurée
pour rejoindre son amant
sur les pentes du volcan.

Suivie d'une brise sensuelle,
qui caresse son corps encore mouillé,
la jeune Galatée
se pose
sur un lit de fenouil,
entouré de genêts
qui parfument ses jolis seins,
gracieusement relevés,
et ses fesses de libellule.

Acis l'accueille
dans les jeux
et les joies de la chair.

Un jour,
Polyphème les surprend.
Ses feux contrariés font éruption,
un cri effroyable fait frémir l'Etna.
Galatée plonge dans la mer,
Acis prend la fuite
en implorant secours.

Le cyclope le poursuit avec un roc,
l'écrase sous sa colère.

Galatée, en larmes et pitié,
lui redonne sa nature[145].
Son sang embrasé encore d'amour
coule à flots,
sous le roc,
pâlit et prend la couleur d'un fleuve.

Alors,
des roseaux et des lauriers-roses
surgissent
parmi les eaux claires,
fraîches et salubres,
qui reverdissent
les flancs de l'Etna
et la plaine jusqu'à la mer.

---

[145] Acis est le fils du dieu Pan, ou du dieu italique Faunus dans la tradition latine, et de la nymphe Symaethis, ou, selon une autre version, d'une nymphe fille de Symaethis, le fleuve qui se jette dans la mer, au sud de l'Etna.

13. Une femme en marbre.

Parmi les riches témoignages de son passé, parmi les souvenirs émouvants d'Eschyle, de Théocrite, de Virgile et d'Archimède, Syracuse caresse la chair d'une Vénus qui exhale le plus capiteux parfum de la Grèce antique. C'est une Vénus anadyomène, c'est-à-dire « qui sort de l'eau ».

14. L'oreille de Denys.
C'est une grotte, taillée en forme de S, dont les qualités acoustiques sont remarquables. On y arrive à travers la latomie du Paradis. Une légende veut qu'elle ait servi à Denys l'Ancien pour écouter, d'où son nom, ce que disaient les prisonniers enfermés dans la latomie.

CHAPITRE VIII

SYRACUSE ET SA PROVINCE

Soupirail auguste de l'Alphée, rameau de l'illustre Syracuse, Ortygie, reposoir d'Artémis, soeur de Délos, mon hymne veut partir de toi.

Pindare, *Néméennes*, I, 1.

Fondée en 734 av. J.-C. par des Corinthiens, dirigés par Archias, un membre de la famille des Bacchiades, Syracuse regroupe ses premiers habitants sur l'île d'Ortygie[146] déjà habitée par les Sicules. Ensuite elle occupe aussi la terre ferme où la ville prend le nom de Syracuse. Très vite elle devient riche et puissante, et étend sa domination sur le triangle sud-est de la Sicile, fondant Akrai en 664 av. J.-C., Casménai en 644 av. J.-C, et Camarina en 599 av J.-C.

C'est durant le règne de Gélon (482-478 av. J.-C), originaire de Géla, que Syracuse se place au premier plan des cités siciliotes. Sous l'action énergique du tyran, elle se peuple, se développe et impose son pouvoir. En effet elle détruit, en 480 av. J.-C., l'armée carthaginoise à Himère, où Gélon vient en aide à Théron d'Agrigente, son beau-père.

Sous Hiéron, frère de Gélon, Syracuse devient encore plus

---

[146] Ce nom, bien connu dans le monde grec, signifie « île aux cailles » (c'est aussi l'ancien nom de Délos), tandis que Syracuse dérive soit du marais Syraco, la partie basse de la vallée du fleuve Anapos qui baigne les Épipoles, soit d'un mot sémitique qui signifie « roche aux mouettes ».

riche et plus puissante. En 474 av. J.-C, elle remporte une grande victoire navale sur les Étrusques, au large de Cumes, libérant ainsi la Sicile de leur constante pression, afin de lui faire vivre une longue période de paix. Les arts et les lettres reçoivent une attention particulière et atteignent une grande splendeur. Hiéron entretient à sa cour poètes et philosophes: Xénophane, Pindare, Simonide, Bacchylide, Eschyle sont ses amis et commensaux. Épicharme, le père de la comédie, est son protégé.

Le successeur d'Hiéron est Trasybule, son frère, expulsé en 466 av. J.-C. de Syracuse à cause des excès de sa tyrannie. La ville se donne alors un gouvernement démocratique et continue à imposer, après une période de désordre, sa domination sur la Sicile. Après une victoire sur Doucétios et sur Agrigente, elle ose s'attaquer même aux alliés d'Athènes, Léontinoi et Égeste, ce qui l'amène à subir une intervention athénienne qui s'achève, après des hauts et des bas, par la victoire finale de Syracuse sur la rivière Assynaros, en 413 av. J.-C., et un énorme massacre des Athéniens : les généraux sont tués et les 7 000 prisonniers rassemblés dans les latomies, où ils périssent presque tous.

Après cette aventure, Syracuse doit de nouveau affronter les Carthaginois qui ont déjà détruit Sélinonte, Himère et Agrigente. C'est Denys l'Ancien (405-367 av. J.-C.), dont le règne fait de Syracuse la ville la plus populeuse et la plus riche du monde grec, qui transige avec eux, d'abord de façon amicale, puis en ayant recours aux armes avec une organisation militaire et de défense hors pair[147].

Après la mort de Denys l'Ancien, la ville connaît deux chefs, l'un débauché, l'autre incapable, qui marquent le début de son déclin. Après l'expulsion de Denys le Jeune et le meurtre de Dion, son oncle, les Carthaginois attaquent de nouveau, mais ils

---

[147] Signalons l'Euryale, la pièce la plus importante des fortifications de Denys.

sont défaits par le général Timoléon, envoyé au secours de Syracuse par Corinthe, sur le fleuve Crimisos, à l'est de Géla.

La menace de Carthage est toujours présente. Le tyran Agathoclès (319-289 av. J.-C.), qui succède au gouvernement de Syracuse une vingtaine d'années après Timoléon, veut en finir avec elle et ose porter la guerre en Afrique. Son expédition se solde par un traité de paix dans le *statu quo*. Carthage revient à la charge périodiquement durant les années d'anarchie qui suivent la mort d'Agathoclès et Syracuse décide, en 278 av. J.-C., de remettre son destin dans les mains de Pyrrhos, qui la libère des Carthaginois et lui redonne son importance politique. C'est Hiéron, l'un de ses officiers, qui continue à protéger la ville après le départ de l'Épirote. Hiéron règne pendant 54 ans, jusqu'à 215 av. J.-C., faisant de Syracuse une alliée de Rome qu'il aide même, par ses fournitures de blé, pendant la première guerre punique.

Cette alliance est brisée par son successeur, Hiéronimus, qui passe du côté des Carthaginois, d'où la guerre avec Rome, le siège de Marcellus et sa victoire en 212 av. J.-C., date de la mort d'Archimède.

La conquête romaine inflige évidemment un sérieux coup à la puissance de Syracuse, mais ne diminue pas son rôle. La ville devient la capitale de la nouvelle province romaine administrée d'abord par un préteur, puis par un propréteur.

En 21 av. J.-C., Auguste envoie des colons pour repeupler la cité dont la parure architecturale est rénovée et le nombre des monuments augmenté. Dès lors, Syracuse suit le destin de toute la Sicile, résistant, bien ou mal, aux différents envahisseurs : Goths, Byzantins, Arabes, Normands, Souabes, Espagnols, Bourbons, Anglais et ainsi de suite. Durant la dernière guerre mondiale, elle est la base de la seconde colonne américaine débarquée en Sicile.

Le patrimoine artistique et monumental de Syracuse est important. Il se retrouve dans les quatre quartiers de la ville antique (Ortygie, Akradine, Néapolis, Tyché) et dans les environs. Citons, parmi les plus connus du passé, le temple d'Apollon, de style dorique, qui remonte à la fin du VIIe siècle av. J.-C., le temple d'Athéna, début du Ve siècle av. J.-C., incorporé en 640 de notre ère dans les structures de la cathédrale, la fontaine Aréthuse, le gymnase romain, le théâtre grec, les latomies, l'autel d'Hiéron, l'amphithéâtre romain, les catacombes, les différentes églises, le château de l'Euryale, la source Cyané et le temple de Jupiter olympien.

De hauts lieux historiques très intéressants sont situés dans la province : Thapsos, important centre indigène du XIVe au XIe siècle av. J.-C., Eloro, ensemble architectonique du début du VIIe siècle av. J.-C., Mégara Hyblaia, colonie fondée par les Mégariens à la fin du VIIIe siècle av. J.-C., Lentini, l'ancienne Léontinoi, Palazzolo Acreide, colonie militaire de Syracuse, Akrai, fondée en 664 av. J.-C., Castelluccio, village de l'âge du bronze, Pantalica, l'antique Hybla, avec ses 5 000 tombeaux dans ses parois rocheuses, située près de la ville actuelle de Ferla.

LA VILLE BLANCHE

C'est un site admirable : une île, presque liée au rivage, Ortygie, deux ports, le petit et le grand; en face, le plateau calcaire des Épipoles; c'est là, à proprement parler, Syracuse.

Baignée par la mer de Grèce,
une vague magique
confond le mythe et l'histoire,
depuis qu'elle bat Athènes,
la jalouse,
immolant sept mille prisonniers
dans ses latomies.

Ville blanche,
née pour combattre,
elle est le temple d'Arès,
où se forgent les armes
contre Carthage,
l'ennemie héréditaire,
contre Athènes, l'antagoniste,
et Rome, sa rivale.

Ville d'art et de lettres,
Pindare la chante,
Eschyle joue dans son théâtre,
où Épicharme affine ses comédies[148].
La poésie bucolique
naît sur ses terres
avec les idylles de Théocrite.

---

[148] Rappelons quelques-uns des autres écrivains qui ont vécu à Syracuse : Xénophane, Simonide, Bacchylide, Gorgias, Sophron.

MYTHE ET POÉSIE

La ville, où « Hiéron, prince au sceptre pur, aux sages desseins, honore Déméter aux pieds empourprés » (Pindare, Olympiques, VI, 153-160), grisée de joie et de soleil, tire un plaisir voluptueux du charme de ses fontaines, de ses jardins, de ses paysages et de ses monuments sur lesquels mythe et poésie répandent un goût sacré.

Les Muses n'ont point oublié
Syracuse,
chère aux cailles,
roche aux mouettes,
nourrice d'hommes et de dieux.

Mythe et poésie
enivrent
le silence et la grandeur
de la ville blanche,
de ses ruines,
ses carrières et ses jardins.

Ils règnent,
au flanc des Épipoles,
dans le théâtre,
immense coquille blanche,
où, chaque printemps,
Eschyle et Sophocle
reprennent la parole.

Ils revivent,
à fleur d'eau,
dans la source de Cyané,
où Zéphyr berce mollement

roseaux et papyrus,
dans les larmes
de la nymphe éplorée[149].

Ils enveloppent
la fontaine d'Aréthuse,
où Alphée mêle ses soupirs
aux eaux claires
de la nymphe d'Achaïe[150].

Ils chantent
sous les caroubiers,
dans les pentes de l'Hybla,
où les doux bergers
de Théocrite et de Virgile
paissent encore leurs moutons[151].

---

[149] Voir, plus loin, le poème sur la source Cyané.

[150] La légende nous raconte que la belle Aréthuse est pousuivie par Alphée, le fleuve qui baigne Olympie, en Grèce, avec l'intention de la séduire. La nymphe appelle à son secours Artémis, sa patronne, protectrice de la virginité, qui ouvre la terre sous ses pas et la transporte à Ortygie où Aréthuse devient une fontaine. Alphée la suit et, par amour, mêle ses eaux aux siennes.

[151] Paru dans *Mélanges Ernest Pascal, op. cit.,* 1990.

UNE FEMME EN MARBRE

Parmi les riches témoignages de son passé, dont héros, nymphes et dieux nourrissent la gloire, parmi les souvenirs émouvants d'Eschyle, de Théocrite, de Virgile et d'Archimède, Syracuse caresse la chair d'une Vénus qui exhale le plus capiteux parfum de la Grèce antique.

Sans tête,
ni cheveux, ni carmin aux lèvres,
elle offre un corps,
parfumé de désir,
que l'oeil caresse sortant de l'eau.

Chair pleine,
modelé émouvant,
elle montre des seins,
fermes et charnus,
comme ceux des douces créatures
de la millénaire Trinacrie.

Vraie déesse,
née de l'écume de la mer,
elle incarne une femme,
beauté chaude et palpitante,
semblable aux filles des champs
chantant sous le soleil
amour et jalousie.

Fille de Grande Grèce,
après tant de siècles,
elle est toujours jeune,
et garde dans ses veines
amour et volupté.

C'est une Vénus charnelle,
a-t-on déjà soupiré[152],
qu'on rêve couchée
en la voyant debout[153].

---

[152] Voir Guy de Maupassant, *La Sicile*, 1885. L'écrivain se laisse aller à une description très détaillée de la statue dont il admire surtout le naturel. « Ce n'est point la femme poétisée, dit-il, la femme idéalisée, la femme divine ou majestueuse, comme la Vénus de Milo, c'est la femme telle qu'elle est, telle qu'on l'aime, telle qu'on la désire, telle qu'on la veut étreindre ».

[153] Paru dans *Mélanges Ernest Pascal, op. cit.*, 1990.

LA SOURCE CYANÉ

Deux sources illustrent les mythes de Syracuse: Aréthuse et Cyané. Celle-ci, l'un des endroits les plus charmants des environs de la ville, forme une pièce d'eau, bordée de papyrus, qui alimente la rivière du même nom, qui s'unit à l'Anapos. Les Grecs y localisent la métamorphose de la nymphe Cyané dont les pleurs s'opposent à l'enlèvement de la jeune Perséphone par son oncle Hadès. Dans sa fureur ou sa pitié, le dieu des Enfers fait fondre son chagrin en eaux pures, d'un bleu profond, qui coulent indéfiniment.

L'image de la source Cyané n'est plus la même aujourd'hui. Son « bleu profond », comme le veut son nom, est plutôt vert et la nature, reprenant ses droits, envahit le plan d'eau et toute la rivière avec les herbes et les animaux aquatiques. Son charme demeure, mais il est différent.

Un beau matin d'octobre,
je quitte la douce Aréthuse
et vogue sur les eaux sacrées,
dans la baie de Syracuse,
vers la source Cyané
et les berges moelleuses
de son lit.

Des myriades de poissons
se promènent entre les algues,
semblables à des lauriers,
qui montent tout droit
et frémissent aux remous de l'eau.

Des libellules,
vertes, rouges et bleues,
décrivent,

dans les rayons du soleil,
le ballet fugace
de leur séduction.

Un épervier
plane sans effroi
sur la barque qui glisse,
entre deux rideaux de papyrus
mollement bercés par le zéphyr,
sur l'eau claire et transparente
d'un bleu de bleuets champêtres,
où ma main abandonnée
caresse
le ciel qui s'y reflète.

Je ferme les yeux
et rêve
aux ondulations de ma barque,
au coeur d'un silence
que seul trouble
le froissement des feuilles
et de l'eau qui se fend.

Dans la source,
tapissée de végétation flottante,
là où jaillit la rivière,
mon coeur et le temps s'arrêtent.
Je perçois le murmure
que font

162

les chevelures des papyrus[154],
ces roseaux de l'esprit,
touffus et fleuris,
qui s'arrosent des larmes
du chagrin de Cyané
pour sa maîtresse enlevée.

J'entends la plainte
de la nymphe éplorée
qui, jadis, azurée comme l'air[155],
au fleuve d'Anapos
mêla ses pleurs
par pitié d'Hadès.

J'effleure ses bras
qui entourent l'île aux amants
et caresse ses cheveux,
algues couchées dans le courant,
qui, de sa tête inclinée dans le chagrin,
doucement ondulent
jusqu'à la mer[156].

---

[154] La présence des papyrus égyptiens à Syracuse, qui peut paraître suspecte ici, est due à Hiéron II, mort en 215 av. J.-C. Ses bonnes relations avec le royaume d'Égypte sont bien connues. D'autres auteurs pensent que les papyrus ont été introduits à Syracuse par les Arabes.

[155] J'emprunte cette expression à Gabriele D'Annunzio.

[156] Paru dans *Trois*, 3, *loco cit.*, 1988. Comme il est dit dans l'introduction de ce poème, la source Cyané n'est plus celle que tous les grands voyageurs ont connue. Cette promenade en bateau, faite en 1988, n'est plus possible aujourd'hui.

VIEUX GRADINS

Creusé dans le roc, le théâtre de Syracuse exhibe encore des formes d'une exceptionnelle beauté. L'un des plus vastes du monde grec, il joue un grand rôle dans la vie de la ville.

Assis
sur les vieux gradins de Syracuse,
à côté d'Eschyle[157],
devant les Perses,
mon regard s'en va.

Le décor n'est guère changé :
à l'horizon,
la mer, où chantent les sirènes,
le golfe aux belles lignes,
où l'Hybla,
plein de miel,
mire
ses bleus sommets.

Au-dessus,
deux portiques abritent
les spectateurs.
Entamé de monuments,
le rocher chante les morts héroïsés,
et le nymphée joue
avec ses eaux babillardes.

---

[157] Le théâtre joue un rôle important à Syracuse. Eschyle y représente à trois reprises certaines de ses tragédies. Épicharme y joue la comédie. Des hommes politiques, comme Timoléon (367-337 av. J.-C.), l'utilisent pour adresser des discours à leurs concitoyens.

L'OREILLE DE DENYS

*De la latomie du Paradis, l'une des fameuses carrières de
Syracuse qui servaient de prison, on pénètre dans l'Oreille de
Denys, la grotte taillée en forme de S dont les qualités acoustiques
sont remarquables.*

Silencieux, solennel,
il entraîne les visiteurs
à travers la latomie.

À l'entrée de l'oreille,
il se déchaîne.
Il évoque,
d'une voix caverneuse,
les victimes,
Athéniens infortunés
qui périrent par milliers.

Puis,
pour réveiller l'écho, il hurle.
Il froisse un papier,
il le déchire,
il chante, l'écho sonne.

Le spectacle dure
selon la sympathie du spectateur.

L'artiste est heureux.
Il a rendu à la grotte
ses dimensions légendaires.

Pour quelques instants,
il a transfiguré le réel.

LA MORT EST REINE

Dans son histoire mouvementée, qui fait d'elle « la plus grande des villes grecques et la plus belle de toutes » (Cicéron , Verrines, Les oeuvres d'art, 117), Syracuse partage son règne avec la mort qui n'épargne aucun de ses quartiers, Ortygie, Achradine, Tyché et Néapolis.

Elle règne
dans le silence,
ponctué du chant des oiseaux,
sous les citronniers,
les orangers et les néfliers,
les souples papyrus,
d'où les prisonniers d'Athènes,
macabres souvenirs de l'histoire,
pointent des yeux hagards
le bourreau de Syracuse.

Elle règne
sous le couvent de Saint-Jean[158],
dans les entrailles de la terre,
où nombre de fidèles
reposent sous le soleil
d'une foi nouvelle[159].

---

[158] Les catacombes de San Giovanni, avec celles de Vigna Cassia et celles de sainte Lucie, sont les plus intéressantes de la ville. Groupées autour de la crypte de saint Marcian, premier évêque de Syracuse, martyrisé sous Gallien et Valérien (254-259), elles comportent des milliers de *loculi*.

[159] Syracuse est l'un des premiers points de pénétration du christianisme en Occident. Saint Paul y séjourne au cours de son voyage vers Rome.

Elle règne
dans les oliveraies rocailleuses
du plateau des Épipoles,
larges espaces oubliés
de l'antique cité
où le divin guerrier
excitait ses chevaux de fer.

Elle règne
sur le grand bastion,
aux vestiges blancs,
de l'Euryale,
dans ses chicanes et ses fossés,
sous les ordres de Denys[160].

---

[160] Il s'agit, évidemment, de Denys l'Ancien (405-367 av. J.-C.).

L'EURYALE

Bâti par Denys l'Ancien, entre 402 et 397 av. J.-C., l'Euryale, avec ses 15 000 mètres carrés, est la plus grande construction militaire du monde grec.

Au crépuscule,
je monte à l'Euryale,
pour saluer,
dans l'ombre qui s'épaissit,
le château fort de Denys
qui fait de Syracuse une île.

Six ans,
six mille paires de boeufs,
soixante mille hommes,
le génie d'un seul
qui décrète puissance et prospérité.

Ouvrage immense,
éloquent,
témoin de domination,
forteresse de géant :
tours, fossés soudains,
archères vers le ciel,
chicanes démoniaques
vers une cavalerie
prête à fondre
des entrailles du rocher.

Du haut de ce bastion,
l'oeil aperçoit
deux rivages

et vingt-quatre siècles.
Au sud,
les Carthaginois
débarquent à trois cent milles,
au nord,
les Romains
et le soldat de deuxième classe
qui tue un savant distrait[161].
Au sud,
de nouveau,
prennent pied
cent cinquante mille Américains.

L'histoire du monde
peut se lire sur ce sable.

---

[161] Archimède (287-212 av. J.-C.) qui déploie son génie inventif pour défendre sa patrie contre les Romains de Marcellus.

LES SCULPTURES D'ACRAI

Fondée en 663 av. J.-C., sur une colline à l'ouest de l'actuelle Palazzolo Acreide, Acrai est une colonie militaire de Syracuse dans la haute vallée de l'Anapos. Parmi les vestiges de la petite cité, on remarque un théâtre du IIIe siècle av. J.-C., remanié par les Romains, une salle de réunion (bouleutérion), une agora, le soubassement d'un temple dorique, dédié peut-être à Aphrodite, et une série de latomies avec niches, reliefs votifs et inscriptions.

Sur le côté méridional du Colle Orbo, à l'abri des fous qui dans le passé les ont abîmées, se trouvent des sculptures assez frustes, taillées dans la roche, qui représentent Cybèle, avec ses attributs, en compagnie de ses parèdres[162] Attis, Hermès et les Dioscures. Ce sont douze grands reliefs, dont dix reproduisent, avec des petites variantes et sur une échelle parfois différente, la même figure de femme et deux contiennent des scènes plus complexes avec beaucoup de personnages.

Figures frustes, sans grâce,
images raccourcies,
sans souplesse,
ébauchées dans la roche
par la main incertaine
d'un artiste sans gloire.

Ce sont les *Santoni*[163].

Membres ronds,
anatomie presque naïve,

---

[162] D'un mot grec signifiant « compagnon, associé ». Il s'agit de divinités associées, à un rang subalterne, au culte d'une autre divinité.

[163] Les *grands saints*. C'est le terme par lequel les habitants de Palazzolo Acreide appellent, depuis leur découverte, les images du sanctuaire et que la littérature archéologique a adopté.

sans détails,
sur un fond rude
strié de coups de ciseau.

De ces niches divines,
l'art est absent,
mais la foi qui sourd d'elles
inonde de sa lumière
le cœur et l'esprit des adeptes.

Une déesse couronnée de tours,
assise, de face,
portrait majestueux,
annonce le défilé rupestre
d'un sanctuaire tendre et sacré.

C'est Cybèle,
la Mère des Dieux,
la Dame de l'Ida[164].

Dans sa patrie première,
la belle Phrygie,
elle est maîtresse de la vie sauvage,
déesse de la fertilité,
dans un culte extatique et orgiaque
qui protège
hommes et animaux.

---

[164] Cybèle, déesse de Phrygie, appelée également Grande Mère, Mère des Dieux, est honorée sur les montagnes de l'Asie Mineure, la chaîne de l'Ida. Son culte se répand, ensuite, dans tout le monde grec, dont la Sicile fait partie, et dans le monde romain, en 204 av. J.-C. Rome la fait venir de Pessimonte, sous les traits de la « pierre noire » qui la symbolise et lui consacre un temple sur le Palatin.

De ses chaudes montagnes natales,
elle émigre
dans le soleil
de Syracuse et des champs d'Acrai,
avant d'habiter le Palatin de Rome
sous les traits d'une pierre noire.

Ses attributs divins
et ses parèdres inséparables
l'entourent
dans les niches et les alcôves
de la roche sacrée.
Le tympanon de l'extase
et la patère de l'offrande
la suivent.
Les lions de Crète et d'Égéide[165],
couchent à ses pieds,
à ses côtés,
et les Curètes ou Corybantes,
les Galles,
compagnons d'Attis,
se vouent à son extase,
digne de Dionysos[166].

---

[165] Le culte phrygien et bachique de Cybèle fusionne dans la personne de Rhéa et dans ses rites. Les lions de Cybèle rappellent ceux qui gardent la déesse en Crète et dans l'Égéide.

[166] Comme Rhéa, Cybèle a pour serviteurs les Curètes, appelés aussi Corybantes, démons thraco-phrygiens qui attestent sa personnalité dionysiaque. Les Galles sont les prêtres émasculés d'origine syrienne, au service d'Astarté, devenus par la suite les serviteurs de Cybèle, déesse de la nature. Leurs organes virils sont consacrés à Cybèle afin de renouveler la fécondité de la nature par la puissance vitale qui est en eux.

Nouvelle Rhéa,
Magna Mater[167]
prend parfois les traits de Déméter,
qui avec un mortel,
sur un sol trois fois retourné par le soc,
scelle un pacte de richesse
avec les hommes[168].

Dans le silence de la cité,
au bord de la vallée,
elle se montre nourricière,
parmi les abeilles,
qui volent autour des fruits mûrs,
et les grains
qui roulent en abondance.

Son Attis,
né des fruits d'un amandier,
l'accompagne,
nu et sans virilité[169].
À côté de la flûte de Marsyas,

---

[167] La Grande Mère, personnage divin marqué de syncrétisme.

[168] Déméter se donne à Iasion, un simple mortel de l'île de Crète, d'où naît Ploutos, c'est-à-dire l'Abondance.

[169] Attis est l'amant de Cybèle. Il joue vis-à-vis de Cybèle, en Phrygie et en Lydie, le même rôle qu'Adonis auprès d'Astarté en Syrie. Les circonstances qui entourent la naissance d'Attis varient d'un récit à l'autre. L'un d'eux nous dit qu'il naît d'un amandier qui surgit des organes mâles d'Agdestis enterrés dans le sol. En effet, la vierge Nana conçoit Attis après avoir mangé quelques fruits de cet arbre. Plus tard, Adgestis, l'être hermaphrodite, s'éprend de lui et, pour l'empêcher d'épouser la fille du roi, Ia, il le frappe de folie et l'oblige à sacrifier sa virilité sous un pin.

le caducée d'Hermès,
les chevaux des Dioscures,
il rappelle *la tige de blé*[170],
signe de mort et de résurrection.

Sur cette image,
je quitte les lieux,
qui exhalent l'odeur de l'été,
et reprends le chemin
de la Sicile et ses mystères.

Blanche de sel et jaune de soufre,
rose d'amandiers et verte de pistaches,
noire de lave,
la route de Trinacrie
traverse le passé,
peuplé
de Phéniciens, de Grecs et de Romains,
d'Arabes et d'Espagnols
qui hantent mes nuits insulaires.

---

[170] C'est l'appellation qu'il reçoit durant une cérémonie liturgique, un autre trait qui confirme que le culte d'Attis et de Cybèle naît en Asie occidentale. Une importante fête annuelle, du 15 au 27 mars, rappelle l'histoire de la déesse et du berger phrygien; son point culminant est le jour de deuil, qui se termine par le sacrifice d'un taureau, suivi du jour de résurrection.

LES TOMBEAUX DE PANTALICA

Pantalica est une forteresse naturelle sur un plateau qui domine les vallées d'Anapos et de Calcinara. Elle est peut-être la capitale d'un royaume sicane qui a existé du XIIIe au VIIIe siècle av. J.-C. Un de ses rois, Hyblon, autorise des colons mégariens à s'installer sur une partie de son territoire. Au sommet se trouvent les vestiges d'un palais princier qui rappelle les demeures des seigneurs achéens. Sur les parois rocheuses, escarpées, une ruche de 5 000 tombeaux forme la plus grande nécropole rupestre d'Europe.

Un canyon de roches blanches
défile,
dans la vallée luxuriante
de végétation en désordre,
suivant
le cours de l'Anapos
qui, lent et paresseux,
roule vers la mer.

Une véritable ruche
de tombes,
creusées sans ordre
dans les parois rocheuses,
s'ouvre à pic sur le fleuve,
avec des yeux de pierre
et un cri funèbre,
aérien, presque indolent.

C'est Pantalica,
témoin d'un passé
où la mort est reine.

Jadis,
dans un temps lointain et desséché,
sur cette terre
brûlent d'autres flammes,
des pierres cassées de colère.

Patients,
hommes et femmes,
jeunes enfants
montent
pour creuser dans la roche,
leur ultime demeure,
très petite,
presque une urne,
mais ouverte
aux mystères du vent,
aux ailes des vautours,
au fouet de la foudre.

Avec les ongles, avec les dents,
ils creusent une tombe,
comme une maison,
une terrasse ou un portique.

Encore vivants, assis,
les bras autour des genoux,
la tête sur les bras,
ils écoutent la voix de la mort,
venant de loin,
comme une déesse.

LES GLOIRES DE LÉONTINOI

Entre Syracuse et Messine, se trouvent les quatre colonies fondées par les Chalcidiens sur la côte orientale : Léontinoi (Lentini), Catane, Naxos et Zancle-Messine. La première, que les Romains appellent Leontini, est l'oeuvre des Chalcidiens de Naxos qui, après 750 av. J.-C., fondent Léontinoi et Catane aux deux extrémités de la plaine du Symaithos.

La ville s'étend entre les collines San Mauro et Metapiccola, au centre d'une plaine très fertile alimentée par les alluvions du Symaithos (Simeto) et du Térias (Fiume di Lentini). Ce dernier, navigable dans l'Antiquité, permet une communication facile avec la mer qui n'est pas trop loin (10 km environ). Colonie de peuplement, à cause de sa richesse naturelle, Léontinoi est une des premières villes de Sicile à subir le gouvernement d'un tyran, en l'occurrence Panaitios. Rivale de Syracuse pendant un certain temps, elle s'allie à Athènes qui vient à son secours en 427 av. J.-C. Détruite ensuite par les Carthaginois, en 406 av. J.-C., elle reprend vie au siècle suivant.

Assimilée souvent à Xoutia, la ville de Xouthos, descendant de Liparos[171], Léontinoi est un des sites les plus importants pour l'histoire sicule de la Sicile. On a en effet découvert sur son territoire des fonds de cabanes protohistoriques de bois, de type italique, qui ressemblent aux habitations romaines du Palatin. Héraclès, Gorgias, Déméter sont ses mythes et ses gloires.

Revenant d'un long voyage,
de la lointaine Érythie[172] à Messine,
accroché
à la corne d'un boeuf,

---

[171] Les amours d'Ulysse et de Circé donnent naissance à Auson, le père de Liparos, père de Cyané. Celle-ci s'unit à Éole et enfante Xouthos.

[172] Sans doute les Canaries. Héraclès traverse l'Espagne, la France méridionale et l'Italie. Ensuite il passe à la nage le détroit de Messine.

le héros achéen
traverse le détroit
et fait route vers Éryx.
Son troupeau,
les boeufs ravis au monstre
à trois têtes[173],
s'abreuve
aux sources
que des Nymphes amies
font jaillir sur son chemin.

Himère, Égeste.
Solonte, Agyrion, Syracuse,
finalement Léontinoi,
la plaine bénie des dieux.

Ébloui par la beauté des lieux,
Héraclès s'arrête.

Enfin, une halte
pour son troupeau exténué,
un pâturage heureux
sous un soleil ami,
qui verse sa clarté et sa chaleur
sur ces campagnes,
si célèbres par leur fertilité.

En récompense
de l'amitié des indigènes,

---

[173] Cette aventure d'Héraclès est liée au vol des boeufs de Géryon dont le troupeau, célèbre par sa qualité, est gardé par le berger Eurytion et protégé par Orthros, le chien à deux têtes.

le héros
offre sa force et son courage
à la lutte
contre les Sicanes[174].

Cité d'agriculteurs,
bénie des dieux,
Léontinoi
est aussi la patrie de Gorgias,
le meilleur de tous
par la force de son langage,
l'art de la parole,
digne de Corax et Teisias[175].

Ambassadeur éloquent et raffiné,
il gagne la faveur
de la Grèce entière.
Il triomphe à Olympie,
il triomphe à Athènes,
où ses disciples s'appellent
Thucydide, Agathon, Xénophon[176].

---

[174] Diodore (IV, 24) nous parle de bonnes relations entre les indigènes et le monde achéen. La prétendue collaboration d'Héraclès, le héros achéen, à la lutte des Sicules contre les Sicanes le prouve.

[175] Gorgias est un sophiste qui a vécu entre 480 et 376 av. J.-C. Comme ses confrères Protagoras, Prodicos, Hippias d'Élis, il contribue au progrès de la prose grecque. C'est un héritier de Corax et de son disciple Teisias qui, au début du Vᵉ siècle av. J.-C., composent, toujours en Sicile, une théorie de la rhétorique créant une méthode raisonnée pour bien parler (voir Cicéron, *Brutus*, 46).

[176] Ces nobles disciples connaissent Gorgias alors que celui-ci se rend, en 427 av. J.-C., en Grèce à la tête de la députation de Léontinoi pour obtenir l'alliance d'Athènes (voir Diodore, *op. cit.* 12, 53).

Amie d'Hercule, patrie de Gorgias,
Léontinoi est aussi le berceau du blé.
C'est ici,
dans sa plaine fertile,
que Déméter,
fait pousser le premier épi,
encore sauvage,
avant de le cueillir
pour le jeune Triptolème[177].

La Bonne Déesse,
donne l'art de produire le blé
et l'ordre de le répandre parmi les hommes.
Le noble fils d'Éleusis traverse le monde,
sur son char ailé,
et, du haut des airs, dans les sillons
répand la pluie des grains.

Depuis,
les pâtres attellent les boeufs,
travaillent le sol,
confient la semence à la chaleur de la terre.

Une tête de lion,
entourée de quatre épis,
nous le rappelle.
Ce sont
la force de la ville et sa fertilité[178].

---

[177] Le héros éleusinien lié au mythe de Déméter et Coré. C'est le roi d'Éleusis ou, selon une autre version, le fils de Céléos et de Métanira, le frère donc de Démophon.

[178] Il s'agit d'une des rares monnaies de Léontinoi.

15. La poterne.

Le plus beau mur grec de Sicile se trouve à Géla, dans les fortifications du Capo Soprano. L'élégance de sa construction est caractéristique du IVe siècle av. J.-C. Il est le seul exemple au monde d'un rempart de ce genre à avoir résisté à l'oeuvre du temps. La photo montre la poterne.

CHAPITRE IX

CALTANISSÈTE ET SA PROVINCE

> Les champs géloens et Géla qui a pris son nom d'un
> fleuve sauvage.
>
> Virgile, *Énéide*, III, 701-702.

Probablement d'origine gréco-sicule, l'ancienne Nissa (ou Nisa) a, sous les Sarrasins, enrichi son nom du préfixe Qal'at (château) : Caltanissetta.

Roger Ier la conquiert en 1087 et la confie à différents membres de sa famille qui, à tour de rôle, la gouvernent. C'est la période où surgit le château de Pietrarossa.

À l'époque des Souabes, la ville jouit d'une certaine influence dans toute la région et son palais est occupé par les troupes du roi.

Les Aragonais la placent sous la responsabilité des Lancia qui la passent aux ducs de Randazzo. Leur succèdent les Moncada qui la gardent pendant quatre siècles, jusqu'en 1812. Après la suppression de la féodalité, Caltanissète devient chef-lieu de la région.

Pendant quelques années, elle refuse de participer à la révolte des villes siciliennes, mais elle finit par adhérer au mouvement général, en 1848 et 1849, et reçoit les colonnes garibaldiennes en 1860.

Son patrimoine artistique : la cathédrale, inaugurée en 1622, l'église Saint-Dominique, érigée en 1330, l'abbaye du Saint-Esprit, oeuvre de Roger le Normand, le château de Pietrarossa, l'église Sainte-Marie-des-Anges, le palais Moncada.

La présence archéologique sur le territoire de Caltanissète est très grande. De première importance sont le village gréco-sicule de Gebel Habib, objet d'une campagne de fouilles très soignée, Sabucina, village indigène de l'âge du bronze sur lequel on a construit les habitations de l'époque grecque, du VIe et IVe siècle av. J.-C., Vassallaggi, centre sicule hellénisé vers la moitié du VIe siècle av. J.-C., Sofiana, la romaine Philosophiana, Monte Bubbonia, une autre ville gréco-sicule, et surtout Géla, une des plus anciennes villes de Sicile, avec les fortifications grecques de Capo Soprano et l'acropole à côté de laquelle se trouve le musée qui renferme un important matériel gréco-romain provenant des fouilles de la ville et des centres voisins.

Dignes d'attention en province : Mussomeli, Mazzarino, Butera, S. Cataldo, Sutera.

LA VILLE DE SOUFRE

Centre agricole et minier[179], au pied du mont San Giuliano, comté aragonais, propriété des Lancia et des Moncada, Caltanissète est étendue sur une colline comme une fleur de soufre. Ses églises et ses palais ont la couleur de la pierre extraite du fond de la terre.

Saveur de Sicile brûlée,
dure comme le fer,
fermée comme un mystère,
elle est sombre et pudique.

Ses églises baroques
dressent leur front sévère[180],
tourmenté,
aux lourds clochers.

Son peuple rude,
lié à ses traditions,
défile encore
derrière le cercueil du Christ[181],
chantant sa foi et ses malheurs.

---

[179] En 1834 on comptait déjà 196 minières de soufre, il y en avait 300 en 1960, aujourd'hui elles sont presque toutes fermées.

[180] San Sebastiano et San Michele.

[181] La Semaine sainte de Caltanissète est, avec celle de Trapani, la plus caractéristique de Sicile. C'est l'héritage d'une très ancienne tradition et le témoignage d'une dévotion millénaire. Des sculptures sacrées, grandeur nature, représentant les divers épisodes de la passion du Christ, défilent dans les rues de la ville dans le cadre d'une procession rituelle à laquelle participe une foule immense.

Souvent assoiffée,
elle attend la pluie
sur ses étendues de blé,
pendant que l'homme et le mulet,
en dépit des cris stridents des tracteurs,
traversent, en maîtres,
ses contrées
séchées par le vent et le soleil.

Argile noire,
blocs de pierres rouges,
surgissent de la terre aride.
Tout autour
collines
et coulisses sans fin des vallées
où la voix se perd sans écho.

Le silence plane majestueux,
le vent caresse les pierres
et descend vers les pâturages,
où un pâtre,
sous une touffe de chênes verts,
semble somnoler,
à l'abri de la canicule.

LA SARRASINE

Numa rencontre Égérie dans le bois sacré de Rome, Zeus aime Callisto dans les bois d'Arcadie, Apollon poursuit Castalie à Delphes. En Sicile, c'est une Sarrasine qui se promène parmi les pavots de Cérès, à l'ombre du château de Pietrarossa, dans l'attente de l'oubli nocturne et du sommeil.

Visage clair, cheveux courts,
corps élancé,
allure de rêve et de passion.
Bien relevés,
ses seins, fermes et frais,
respirent un air de poésie.

Sous son nombril virginal,
une tache brun sombre
couvre
sa gracieuse nudité.

Au verso,
chutes enivrantes,
moulées
à des fesses charmantes,
faisant saillie.

Une fente,
naïve et bien dessinée,
trace
un frisson de volupté.

LE BLÉ DE CÉRÈS

Le dimanche 28 avril 1787, en s'approchant de Caltanissète, Goethe écrit dans son journal de voyage : « Aujourd'hui nous pouvons dire enfin que nous avons une notion concrète de la manière dont la Sicile a pu obtenir le titre honorifique de grenier à blé de l'Italie. » En effet, à partir de cette ville, toute la région appartient à Cérès dont le trône est fixé à Enna.

> Croupes de montagnes douces
> et collines fertiles
> s'enchaînent
> par des cordons de chardons
> qui les décorent.

> Pas un arbre,
> les fleurs et les buissons ont disparu
> pour ne pas entraver
> le char de Triptolème[182],
> pas de mauvaise herbe.

> Tout appartient à Cérès[183].
> C'est le blé,
> dans les champs à perte de vue.
> Il est splendide,
> avec sa blonde chevelure.
> Il me charme,

---

[182] Comme il a été rappelé plus haut, Triptolème est le héros éleusinien lié au mythe de Déméter. En récompense de l'hospitalité reçue chez ses parents, la déesse donne à Triptolème un char et lui ordonne de parcourir le monde pour semer partout des grains de blé.

[183] Cérès est le nom romain de la déesse grecque Déméter à laquelle elle s'identifie.

me rappelle
la bonté de sa maîtresse,
de celle qui a jeûné
et sait que le pain est bon.

Il récompense le labeur,
remplit de gerbes
la grange
et de ses grains
les jarres et les silos.

Dans les plaines de la déesse,
la charrue féconde les sillons,
les épis s'ouvrent à la vie
pour la joie
du corps et de l'esprit.

Ainsi poussent
moissons et histoires,
roses et chants,
fruits et poèmes.

Aventures de l'esprit,
floraisons de la terre,
la chaîne du temps ne saurait s'abolir.

L'AURIGE DE GÉLA

Géla est une des plus anciennes villes de Sicile. Fondée vers 688 av. J.-C. par des Rhodiens et des Crétois sur un sol sicane, elle devient florissante au Ve siècle av. J.-C. Pillée et détruite par les Carthaginois, en 405 av. J.-C., elle est reconstruite par Timoléon, à partir de 338 av. J.-C., dont le règne lui est très favorable. En 311 av. J.-C., Agathoclès l'envahit et fait massacrer 4 000 citoyens. Après sa mort, elle est saccagée par les Mamertins, en 284 av. J.-C., et détruite par Phintias, le tyran d'Agrigente, en 282 av. J.-C., qui, ensuite, la rebâtit au pied du mont Ecnomos, lui donnant son nom. Oubliée pendant longtemps, la ville reprendra vie au XIIIe siècle de notre ère, sous Frédéric II. La légende veut que le dramaturge Eschyle soit mort à Géla en 456 av. J.-C.

Dans le désordre
d'une architecture négligée,
habillée de pierre grise et poussiéreuse,
et dans le brouillard des cheminées
chauffées par le pétrole,
la mémoire des temps glorieux
éclaire, tenace, la ville du Gélas[184].

Cité dorienne,
mère d'Agrigente,
elle est l'orgueil de la Sicile,
le berceau de ses chefs.
Hippocratès,
entraîneur d'escadrons,
Gélon, tyran de Syracuse,

---

[184] La ville se dresse sur une colline de quatre kilomètres qui suit le bord de la mer. Elle est près du fleuve Gélas, mot sicule qui veut dire « froid », auquel elle doit son nom.

Hiéron, son frère,
Théron, seigneur d'Agrigente,
sont tous fils de Géla[185].

Elle est la première au monde
qui élève un trésor à Olympie,
au pied du Cronion[186].

C'est elle
qui consacre à Delphes le quadrige
qui fait la gloire de l'art grec.
Il ne reste que l'*Aurige,*
bronze d'un atelier attique,
né sur la colline de Géla[187].

Les longs galops
des coursiers évanouis
résonnent,
de triomphe en triomphe,
sur les chemins du rêve,
le même qui a séduit le grand Pindare,
dans les terres siciliennes.

---

[185] Hippocratès soumet à son pouvoir Naxos, Léontinoi, Zancle et Camarina. Gélon, un de ses généraux, devenu tyran de Syracuse, inflige une sanglante défaite aux Carthaginois, à Himère. Hiéron, le frère de ce dernier, porte la gloire de Syracuse à son apogée avec les victoires sur les Étrusques, sur Naxos, Catane et Agrigente. Théron, un autre officier d'Hippocratès, tyran d'Agrigente, participe à la bataille d'Himère.

[186] C'est une grande salle, construite vers 600 av. J.-C. sur une terrasse, dotée par la suite d'un péristyle dorique.

[187] Il s'agit du fameux groupe monumental commémorant une victoire pythique dont on a retrouvé, dans les fouilles du sanctuaire en 1896, la statue du cocher qui est maintenant au musée de Delphes.

Géla est aussi
le tombeau d'Eschyle.
C'est elle qui reçoit son âme,
avant Hadès,
l'âme du fils d'Euphorion,
qu'un aigle a terrassé
avec sa tortue[188].

Nourri d'Homère,
près du sanctuaire des Deux Déesses[189],
la force de ses dieux et leur justice
rappellent sa piété.
Soldat fidèle,
les bois de Marathon
et les bateaux de Salamine
saluent son courage[190].

Enterrée par l'oubli,
la ville de jadis n'existe plus.
Les demeures
des dieux et des hommes ont disparu.
Mais, tenace, parmi ces ombres,
vit encore une gloire,
la gloire du Capo Soprano
qui s'appelle *Le Mur*[191].

---

[188] Une curieuse légende veut qu'un aigle ait laissé tomber une tortue sur le crâne d'Eschyle (456 av. J.-C.).

[189] Il s'agit de Déméter et Coré, les déesses du culte éleusinien dont Eschyle est un adepte.

[190] Né en 525 av. J.-C., Eschyle a trente-cinq ans à l'époque de Marathon. Il prend part au combat avec succès. Dix ans plus tard, il participe également à la bataille de Salamine.

[191] Un mur fait, dans la partie supérieure, de briques crues.

16. Le Rocher de Cérès.
Au bord d'un plateau, un rocher en éperon garde les vestiges d'un culte
millénaire. C'est là que la Bonne Déesse recevait des habitants d'Enna les
honneurs d'une Grande Mère, bien avant les Grecs. Bien que dépossédée,
elle sourit encore, les mains pleines d'épis et de pavots.

17. Les chardons de Coré.
C'est un vrai plaisir de se promener dans les campagnes siciliennes, surtout sur les pentes des collines, parmi ces plantes herbacées, aux feuilles coriaces et piquantes, qui font la joie des bourdons et des papillons. Coré en caressait une avant d'être ravie par son oncle Hadès.

CHAPITRE X

ENNA ET SA PROVINCE

> Les habitants d'Enna croient en conscience que Cérès
> habite chez eux, si bien qu'ils me semblent être non pas
> des citoyens de cette cité, mais tous des prêtres, tous
> des ministres et des pontifes de Cérès.
>
> Cicéron, *Verrines, Les oeuvres d'art*, 111.

Le plus haut chef-lieu d'Italie, Enna[192], a une histoire très particulière. Fondée par les Sicanes comme place forte, elle se développe très lentement.

La légende nous raconte que les Sicanes d'Enna rédigent le premier traité de paix de l'histoire humaine, un traité de non-belligérance avec les Sicules qui les entouraient de tous les côtés.

Des renseignements plus précis sur la ville remontent à la domination grecque. Enna garde son indépendance et sa prospérité jusqu'à 307 av. J.-C., date où elle tombe sous la domination d'Agathoclès, tyran de Syracuse. Ensuite, elle est livrée aux Carthaginois, puis aux Romains.

Elle ne supporte pas son esclavage et, sous la conduite d'un berger syrien, Eunous, se révolte contre Rome qui punit par le sang cette audace. C'est la première guerre servile.

Sous l'Empire, les Byzantins en font un bastion contre les Arabes qui s'en emparent en 859, et lui donnent le nom de

---

[192] C'est un nom grec que les Romains ont adopté sous celui d'*Henna*.

Kasrlànna[193]. Mais Roger le Normand, avec la complicité de l'émir Ibn-Hamud, arrache la ville à la domination arabe, en 1087. Par la suite, Souabes et Angevins se la disputent jusqu'au moment où elle est annexée au domaine du vice-roi d'Espagne.

Elle se révolte enfin contre les Bourbons, en 1860, à la suite du mouvement de libération de Garibaldi. Depuis, elle s'associe aux événements historiques de toute la Sicile.

Parmi les monuments d'intérêt d'Enna, méritent une attention particulière le château Lombard, qui domine la ville et le rocher entier, la Rocca di Cerere, où Déméter est toujours présente, et la cathédrale, construite sur les ruines d'un temple païen.

En province, l'intérêt se porte sur Centuripe, la Kentoripa d'origine sicule hellénisée, Troina, Nicosia, Calascibetta, Piazza Armerina, très connue par la villa impériale romaine de Casale, Morgantina, l'ancienne cité gréco-sicule près d'Aidone.

---

[193] Par la suite, la ville porte le nom de Castrogiovanni jusqu'à 1927, alors qu'elle reprend celui d'origine.

LE ROCHER DE CÉRÈS

Du haut de ses 1 100 mètres au-dessus de la mer, Enna domine la Sicile. Elle en est le centre naturel, le nombril. Du sommet de la tour pisane du Castello di Lombardia, le panorama est magnifique. La vue s'étend au loin, sur l'Etna, sur Pergusa et sur la mer d'Afrique.

Au coeur de l'île,
la terre apparaît
comme une croûte tourmentée
par les soubresauts d'un volcan.

Au bord d'un plateau,
un rocher en éperon
garde les vestiges d'un culte millénaire.
C'est *La Rocca di Cerere*[194].

Enna adore la Bonne Déesse,
la Grande Mère dimorphe,
maternelle et virginale,
bien avant la Grèce.
Ses habitants,
au dire de Cicéron[195],
sont tous des ministres
et des pontifes de Cérès.

Elle habite chez eux,
gage de paix et prospérité.
Elle reçoit le grain,

---

[194] Le Rocher de Cérès (nom romain de Déméter).
[195] *Verrines, Les oeuvres d'art*, 111.

le féconde, le redonne :
labour, semailles, moisson,
froment dans les aires,
farine pétrie et, enfin, le pain.

C'est ici,
pas loin de ce rocher,
sur le bord d'un petit lac[196],
derrière un léger rideau de saules,
qu'Hadès, le seigneur des morts,
ravit Perséphone,
la fille chérie,
unique et précieuse,
sa Coré.

Processions, offrandes de blé,
branches de lauriers
honorent
depuis des temps immémoriaux
la mère et la fille,
les Deux Déesses.

La fille sort des enfers
à chaque printemps.
Les vierges et les nouvelles mariées
l'attendent,
lui apportent des pains,
en forme de pubis,

---

[196] Le lac de Pergusa. Sur la berge sud se trouve une grotte par laquelle Hadès serait sorti des Enfers. Il existe d'autres variantes du mythe où la localisation de l'enlèvement de Coré diffère : la plaine mysienne, Éleusis, Cyzique, Crète, etc.

pendant que des bûchers flambent
en son honneur.

La mère comble les hommes
de ses dons,
elle donne aux branches
les fleurs des fruits,
aux sillons une tendre verdure.
Elle fait la joie
du moissonneur et des vergers,
jusqu'au jour où Marie,
l'autre Mère, la Vierge,
sort de la cathédrale
pour lui voler les pains,
en forme de pubis[197].

Mais Cérès n'est pas morte.
Dépossédée, elle sourit encore,
du haut de son rocher,
les mains pleines d'épis et de pavots.

---

[197] Le culte de Déméter, à Enna, survit encore au XIIIᵉ siècle de notre ère. Les chrétiens le remplacent par des fêtes en l'honneur de la Madone, célébrées aux mêmes dates et dans les mêmes formes que celles de Déméter.

Par exemple, ils promènent en procession une statue de la Vierge, échouée d'une façon miraculeuse à Enna en 1307, de la cathédrale, où elle demeure, jusqu'à l'église de Porto Salvo, à l'autre extrémité de la ville, où elle reste neuf jours, avec sa cousine Élisabeth, avant de regagner son domicile.

Déméter aussi reste neuf jours aux Enfers pour rechercher Perséphone. Un autel de Perséphone est consacré à saint Jean-Baptiste. On offre à la Madone des pains qui ont la forme du pubis.

LE GOÛT DES SIÈCLES

Céréales, vin, huile sont une richesse millénaire de Trinacrie,
«demeure chère à Cérès» (Ovide, Fastes, 4, 421*). Le coeur de l'île*
incarne ce bonheur, mythe fécond des plus importants cultes
chthoniens du monde grec, et rappelle le souvenir des dieux qui en
sont la source.

Saturés de chaleur,
au coeur de l'île,
où le soleil dore
l'immense fourrure de chaumes,
mes regards flottent
dans les mirages de la plaine,
et mes pas s'arrêtent
dans les vestiges des dieux.

Devant une ferme,
entourée de férules
et de figuiers de Barbarie,
des chevaux,
par deux attelés,
tournent
sur la blonde récolte
pour détacher le grain de l'épi.

A l'entrée du village,
parfumé de câpres et de jasmins,
une batteuse
soulève et broie
les gerbes dorées de Déméter,
sous les regards brûlés
des paysans.

Au loin,
sur les pentes et les coteaux,
aux cris stridents des cigales,
le fruit de Dionysos
mûrit
en vin lourd et riche,
épaissi de soleil.

Des oliviers,
qui semblent dater d'Ulysse,
lentement préparent,
pour les frais celliers
de jarres roses,
l'huile sapide et parfumée
d'Athéna.

Ces dons des dieux,
au goût des siècles,
sont l'amour de la Terre,
sa gratitude
pour ceux qui la fécondent[198].

---

[198] Paru dans *Mélanges Ernest Pascal, op. cit.*, 1990.

LE BERGER SYRIEN

C'est à Enna que commence la première guerre servile (135-132 av. J.-C.) avec le massacre de Damophilos et sa femme Mégallis, deux maîtres cruels.

Dans le séjour digne d'une déesse,
à l'ombre de la Roche,
Eunous,
le berger syrien,
guidé par Atargatis,
ose ceindre le diadème
sous le nom d'Antiochos.

Son cri de liberté résonne
au croisement
des chemins de transhumance,
appelle
outrances et atrocités.

Cultivateurs devenus serfs,
débiteurs,
étrangers marqués au fer rouge,
qui travaillent
sous la férule des gardiens,
le nomment,
de la nuit de leurs *ergastula*[199],
roi de leur salut.

Premières victimes,

---

[199] Mot latin (*ergastulum*) qui signifie atelier d'esclaves ou local destiné au logement de ces derniers.

Damophilos, à coup de hache,
Mégallis, défenestrée.

Après trois ans de rébellion
sous l'asile des Paliques[200],
les insurgés,
hors des temples,
et loin des autels,
abandonnent leur liberté
sur les montagnes.

---

[200] Dieux ruraux, protecteurs des paysans sicules, dont les temples, lieux d'asile, sont entourés de murailles par les Romains pour les rendre inaccessibles aux insurgés.

LA PROMENADE DES MOSAÏQUES

*À Piazza Armerina, ou, plus exactement, à quelque distance de
cette ville, en un lieu traditionnellement connu sous le nom de
Casale, il y a les restes d'une magnifique villa romaine du Bas-
Empire, détruite par un incendie au IVe siècle de notre ère. Une
oeuvre originale, une villa remarquable par son architecture et,
surtout, par les admirables mosaïques qui couvrent ses pavements.
Depuis sa découverte, diverses hypothèses ont été avancées au
sujet de la datation et de l'usage de la construction ainsi que de
l'identité du personnage qui a fait surgir, en pleine campagne, un
palais de cette importance. Les avis ne concordent pas. On a
supposé qu'il pouvait s'agir de la demeure d'un tétrarque ou de la
résidence d'été d'un empereur (d'où l'appellation de villa
impériale). Il semble plus plausible qu'elle ait appartenu, tout
simplement, à un grand seigneur ou à un patricien de la basse
époque, ayant assez de goût et de richesses.*

C'est une galerie d'art
où les tableaux
sont couchés sur le sol.

Une entrée,
digne d'un monument,
guide mes pas vers l'atrium
entouré de portiques
à colonnes de marbre,
où les restes d'une fontaine
résonnent des eaux babillardes d'antan.

Sur le fond,
l'édicule des thermes
qui jadis montrait la beauté de Vénus

et sa séduction[201],
à droite le petit vestibule,
plaisant prélude
au salon du cirque[202].

De ce gymnase,
fier de ses dessins,
spectacles de Rome,
je pénètre dans les thermes,
plaisirs d'eau encore inégalés.

Mens sana in corpore sano[203],
je me promène
en compagnie
de néréides et de tritons,
d'hippocampes et d'amours pêcheurs,
à travers
le froid et le chaud des bains[204],
attendu par des esclaves
dans la salle des onctions.

––––––––––––

[201] L'édicule abritait une statue de la déesse dont on a retrouvé quelques fragments.

[202] Il servait probablement de gymnase. Sur le sol, des dessins géométriques représentent des spectacles qui avaient lieu à Rome, dans le Cirque Maxime.

[203] Dicton latin très connu, tiré des Satires (X) de Juvénal, qui signifie : « un esprit sain dans un corps sain ».

[204] En général, les thermes comprennent des salles de différentes températures : un *laconicum* pour la sudation sèche, un *caldarium* pour le bain chaud, un *tepidarium*, salle de passage entre le froid et le chaud, et enfin le *frigidarium*, une piscine froide. La villa est dotée de trois *caldaria*. À côté des salles affectées aux bains, se trouvent des locaux pour les frictions de parfum ou d'huile (*unctorium*).

Je reviens sur mes pas
pour saluer la *domina*[205]
et pénétrer dans le grand péristyle.

Accueilli
par les lauriers et les candélabres
des serviteurs,
je plonge dans l'oasis verdoyante
d'un jardin féerique,
tamisé par les eaux douces de la fontaine
et entouré de colonnes de marbre
qui soutiennent,
avec élégance,
les gracieux chapiteaux corinthiens.

Mon regard s'égare
parmi les vives décorations,
médaillons de lions et sangliers,
chevaux marins et oiseaux bariolés.

Je sors du portique
et traverse
les séjours des invités[206].
Les pavements sont animés
d'hexagones, d'étoiles ou de carrés,
figures d'un charme ineffable.
Les danses,

---

[205] La maîtresse de la villa.

[206] Chez les Romains, chaque pièce de la maison est destinée à un seul usage. Par exemple, le *cubiculum* est une chambre à coucher, le *triclinium*, une salle à manger, le *tablinum*, une salle de réunion, l'*oecus* ou l'*exhedra*, des salons de réception, etc.

les saisons sourient.
Les petits amours pêcheurs,
au milieu d'un ballet de dauphins,
s'amusent
avec des filets, des nasses et des tridents.

Délicieuses,
les scènes de la petite chasse.
Des rabatteurs et des limiers
se préparent au départ,
pendant que des chasseurs,
sur la rive d'un petit lac
à la berge verdoyante,
offrent à Diane[207] un sacrifice propitiatoire.

Lièvres, sangliers, cerfs et petits oiseaux
sont la proie des chasseurs
qui fêtent,
dans un paysage rustique,
les fatigues d'une longue journée.

Un corridor,
au nord du péristyle,
m'accueille
avec une immense mosaïque,
la grande chasse[208].
Le promenoir m'invite

---

[207] Rappelons que Diane est la déesse de la chasse. Ici, placée sur une colonne derrière l'autel, elle est vêtue en amazone.

[208] Il s'agit d'un magnifique ensemble de 350 mètres carrés. Un corridor mesurant 70 mètres de long, terminé par deux absides qui contiennent deux figures de femmes personnifiant deux provinces romaines : l'Arménie et l'Afrique.

à la poursuite et la capture
de bêtes sauvages,
destinées à l'amphithéâtre.
J'embarque et je débarque,
sous le contrôle des fonctionnaires.
Vie et couleurs
peignent l'âme de ses scènes,
égayées
de sapins et de palmiers,
de cours d'eau et de portiques.

De la chasse
je passe aux lieux privés.
Polyphème, sur un rocher,
garde sur ses genoux un bélier éventré.
Ulysse lui offre du vin pour l'enivrer.
Derrière le géant, les forêts de l'Etna,
à ses pieds, broute le troupeau.

Près du cyclope,
la chambre du propriétaire.
Entouré d'un feston de laurier,
un éphèbe séduit une femme
aux fesses bien charnues et relevées.
Autour,
fermées dans les hexagones,
les quatre saisons,
et, dans les étoiles,
les masques de comédiennes.

Suit une alcôve en exèdre,
parée de fleurs et de fruits :
pommes et pêches,

figues et melons,
citrons, poires et grenades.

Je traîne ce parfum à travers la basilique,
la grande salle de réception,
foulant un tapis en marbre
qui me mène
aux salles qui entourent un atrium,
où les petits génies,
ailés,
s'adonnent à la pêche au filet
avec harpons,
dans une mer
peuplée de poissons.

Parmi ces merveilles sans nombre,
Pan et Éros,
Diane et ses disciples,
le cirque et les concours,
c'est l'aventure d'Arion,
musicien et poète,
qui charme mon regard.

Il est la musique et son pouvoir.

Cheveux blonds,
visage inspiré,
il tire de sa cithare des sons,
dignes d'Orphée et d'Apollon,
qui font la joie des naïades,
des génies et des tritons,
des griffons et des dragons,
des tigres et des panthères,

des cerfs et des poissons[209].

Sous le charme
de sa musique,
je poursuis ma promenade,
à travers les salles de séjour,
et j'arrive aux filles en bikini.
Les athlètes,
fières de leurs corps,
se livrent à la course,
aux haltères, aux jeux de balles.
Elles sont un hymne à la chair
et à la beauté.

Après le couronnement des gagnantes,
je rends visite à Orphée,
la lyre qui guide
la ronde d'animaux ensorcelés.
Devant le poète-musicien,
vêtu de pourpre,
les bêtes, en ocre, jaune éteint,
ont les yeux tendres de l'extase.

Je la partage,
dans l'écho de mon âme
ravie des sons disparus.

---

[209] Arion est menacé de mort par les marins qui veulent lui voler ses biens. À ses agresseurs, ils demande de lui accorder la grâce de le laisser chanter, une dernière fois, avant de mourir. Sa musique attire autour du bateau une multitude de dauphins, les favoris d'Apollon. Arion saute dans la mer où un dauphin le recueille et le porte sur son dos en lieu sûr.

À mon réveil
j'atteins le *triclinium*,
à travers la foule des petits amours,
vendangeurs ou pêcheurs,
qui foulent le raisin
ou s'amusent avec l'eau et les filets.

C'est la grande salle à manger,
à trois absides,
admirablement décorée,
un hommage au fils d'Alcmène,
le plus fort et le meilleur des hommes,
un noble coeur,
un héros sans faiblesse.

Hercule,
courage, muscle et bonté,
le champion de la force,
exécute ses travaux,
afin de libérer les hommes
des monstres du destin.

Lycurgue, roi de Thrace,
veut tuer Ambrosia,
sous les yeux terrorisés
de ses compagnes.
La ménade
se change en vigne
et serre de ses vrilles
les jambes qui la poursuivent
sur lesquelles
s'élance une panthère.

Hercule, encore,
les flèches trempées
dans le sang du centaure,
blesse les géants et leur douleur.

Couronné de lauriers,
il triomphe, enfin, de ses exploits.

Un dernier regard,
à gauche,
sur Daphné,
qui, poursuivie d'Apollon,
prend la forme d'un laurier,
à droite,
sur Cyparissos,
qui, en présence de son cerf tué,
prend celle d'un cyprès[210].

Les yeux éblouis,
je sors de la villa,
monument de l'art romain,
en compagnie d'images ineffaçables.

Des taureaux, des sangliers
des lions, des lièvres, des cerfs.
Des chevaux

---

[210] Daphné, dont le nom signifie en grec *laurier*, est une nymphe aimée d'Apollon. Poursuivie par le dieu, elle s'enfuit. Sur le point d'être rejointe, elle prie son père de la métamorphoser. Elle devient un laurier, la plante d'Apollon. Cyparissos, aimé d'Apollon pour sa grande beauté, a comme compagnon un cerf apprivoisé. Un jour, il le tue par mégarde. Chagriné, il demande au ciel de pouvoir pleurer pour l'éternité. Les dieux le changent en cyprès, l'arbre de la tristesse.

qui désarçonnent leurs cavaliers,
agonisent, jambes en l'air, le sexe dressé.

Dans les couloirs,
pampres, palmiers, couronnes et fleurs.
Sur le sol,
de jolis poissons nagent
dans la transparence des vaguelettes
des salles de bain,
des barques flottent,
des petits amours pêchent à la ligne
ou foulent le raisin.

À la sortie,
des cigales réunies sur un chêne,
m'attendent pour un concert d'été,
sous les caresses du sensuel Zéphir.

L'ÉCHANSON DES DIEUX

Fondée par les Grecs au Ve siècle av. J.-C., à proximité de la route qui mène d'Enna à Léontinoi, Morgantina atteint le maximum de sa splendeur au IIIe siècle av. J.-C. En 211 av. J.-C., elle se révolte contre les Romains qui lui infligent une punition exemplaire. Les fouilles, toujours en cours, nous montrent déjà une ville dont on peut suivre les aventures historiques et architecturales. Des édifices, de larges rues droites et régulières, un grand escalier trapézoïdal dans l'agora, un théâtre. Sur la colline, face au théâtre, le quartier résidentiel du levant avec ses ruelles et ses habitations. Les maisons du chapiteau et de Ganymède, où une mosaïque en partie détruite représente le rapt du prince, sont les plus charmantes.

Dans le silence sacré
et bucolique
des vestiges de Morgantina,
le blond Ganymède,
fils de Trôs[211] et de Callirhoé,
témoigne encore
la millénaire volupté du dieu
qui,
sous les formes étranges,
mais toujours splendides,
d'aigle, cygne, colombe ou taureau,
séduit, ravit, emporte dans sa bourrasque.

Il est beau,
il a le visage du printemps,
les nuances de l'aurore.

---

[211] D'autres versions en font le fils de Laomédon et, parfois, d'Ilos, d'Assaracos ou encore d'Érichthonios.

À peine adolescent,
dans le silence de ses chastes plaisirs,
il ne connaît
que les troupeaux de son père,
dans les montagnes de Troie,
au milieu des prés,
frais et verdoyants,
qui respirent
les sons mélodieux de sa flûte.

C'est là,
sur le mont Ida,
que sa jeune et sensuelle beauté
enflamme d'amour
le plus puissant des dieux.

Un jour,
à l'heure du crépuscule,
le maître du ciel
emprunte le corps d'un aigle,
son oiseau préféré,
et plane
avec ses ailes larges et majestueuses,
sur les tendres brebis du doux berger.
Puis,
voltigeant avec volupté,
il atterrit
sur une roche éclairée
par le soleil mourant.
Il regarde le garçon sans défense,
le prend dans ses serres
et l'entraîne dans les airs,
vers l'Olympe.

Dans sa demeure divine,
le dieu insondable
habille
la chair de cette nouvelle conquête
d'une légère et transparente tunique,
la parfume
et lui donne une allure immortelle.

Corps splendide,
d'une jeunesse éternelle,
le berger de l'Ida[212]
devient l'échanson des dieux[213].

C'est merveille
de le voir puiser le sombre nectar,
dans un cratère d'or,
et de le verser dans la coupe de Zeus,
qui partage son sourire.

---

[212] Situé sur le mont Ida, dans la Troade, le lieu de l'enlèvement est parfois transporté en Crète ou en Eubée, ou encore en Mysie.

[213] Dans cette fonction, Ganymède remplace Hébé, divinité de la jeunesse.

UN POT DE ROMARIN

Centoripa, *en grec,* Centuripae, *en latin, c'est un village d'origine sicule, situé sur une haute colline, qui tire son nom des multiples vallées des environs. Fortement hellénisée, la petite cité ne prend de l'importance qu'à l'époque romaine. En effet, certains édifices publics importants datent du premier siècle av. J.-C. Centuripe atteint son moment de gloire artistique avec la terre cuite et la céramique polychrome. Le village m'apparaît, la première fois, de Regalbuto, à travers les treilles et les sarments d'une venelle qui s'ouvre sur les montagnes bleuâtres à l'horizon.*

Un pot de romarin
se détache,
avec un parfum enivrant,
sur la balustrade de fer forgé.
À l'horizon,
une couronne brille.
C'est Centuripe,
un bourg perdu d'anciens Sicules,
têtes sombres, aux lèvres violettes,
au regard perçant.

Mes pas me portent
et s'égarent dans un monde oublié.
Des mulets
ne cessent de claquer leurs sabots.
Des paniers d'herbes sèches,
tressés comme ceux des ancêtres,
pendent de la selle,
avec des bêches et des râteaux.

Dans ce tableau
d'histoire révolue,

des souvenirs s'imposent
dans les maisons, les thermes,
les nécropoles,
vestiges romains d'un temps perdu.

C'est ici,
dans les ateliers de Centuripe,
que sont nés
les beaux portraits d'Auguste
et des princes
qu'admire maintenant Syracuse.

C'est d'ici
que les figurines tanagras[214],
et les beaux vases,
richement polychromes
se sont envolés
pour Catane et Syracuse[215].

Mais le temps dévorant
a tout effacé.
Une vue splendide sur l'Etna,
à la fin d'une journée saturée de chaleur,
me ramène au quotidien de Centuripe
où, dit-on,
perdre son âne, c'est perdre son âme.

---

[214] La tanagra est une figurine polychrome de terre cuite aux formes
élégantes qui tire son nom de Tanagra, village grec de Béotie.

[215] C'est dans les musées de Catane et de Syracuse que l'on peut
admirer de beaux exemplaires de la céramique de Centuripe.

18. Le château.

Le château de Sant'Alessio se trouve sur un promontoire appelé par les anciens *arghennon acron*. Ce sont les Grecs d'Eubée qui lui donnent ce nom en souvenir de leur mère patrie, le cap Blanc. Construit par les Sarrasins, le château se montre aujourd'hui sous des traits aragonais.

19. Le mont Vénus.

Parmi les hauteurs qui couronnent Taormine se trouve le mont Vénus où
la déesse de l'amour récompense ses fidèles courageux. Le chemin qui
mène au sommet met à dure épreuve les pas du pèlerin. Mais, comme à
Éryx, celui-ci accède à la conscience du divin.

CHAPITRE XI

MESSINE ET SA PROVINCE

> Trois fois dans leurs profondes crevasses les rocs ont
> poussé leurs clameurs ; trois fois nous avons vu
> l'écume jaillir et sa rosée retomber du ciel.
>
> Virgile, *Énéide*, III, 266-267.

Fondée probablement par des colons chalcidiens en 700
av. J.-C., Messine naît avec le nom de Zancle qui veut dire
faucille. C'est le tyran de Rhégion, Anaxilas, qui, après l'avoir
conquise, lui donne le nom de Messéné[216]. Après sa mort, la
ville se révolte contre ses héritiers et reprend son autonomie,
vécue d'ailleurs parmi luttes et invasions diverses. Elle combat,
sans succès, contre les habitants de Syracuse et ceux d'Athènes
pour tomber, enfin, sous la domination du Syracusain Hiéron II.
Pour s'en libérer, Messine invoque l'aide de Rome qui inter-
vient pour la première fois en Sicile.

À la fin de la première guerre punique, la ville reçoit le titre
de cité associée, devenant, sous la protection de Rome, très
grande et très riche. Elle le demeure même si César, pour la
punir d'avoir appuyé les partisans de Pompée, lui retire son titre.
Cette prospérité prend fin avec la chute de l'Empire et la ville

---

[216] Le tyran est originaire de Messénie, dans le Péloponnèse. Les noms
donnés à la ville sont donc : Zanclé et Messéné, en grec, Zancle et
Messana, en latin. Le premier nom, qui veut dire « faucille », rend compte
de la forme du môle de la ville qui est recourbé.

ne connaît un regain de vitalité qu'en 1061, avec l'arrivée des Normands, pour retomber de nouveau dans un malaise politique et économique avec l'arrivée des Bourbons en 1734.

Révoltes nombreuses contre l'oppresseur, mais toutes matées dans le sang. Les calamités naturelles font le reste. Tout cependant rentre dans l'ordre avec Garibaldi en 1860.

Au début du siècle commence l'histoire moderne de Messine qui s'ouvre malheureusement avec le plus sévère tremblement de terre que la Sicile ait jamais connu (1908).

Le patrimoine artistique de la ville comprend quelques églises d'intérêt, parmi lesquelles la cathédrale, un spécimen de l'architecture normande, dont la première construction remonte à 1197.

La province, placée entre la mer Tyrrhénienne et la mer Ionienne, possède de nombreux monuments pour témoigner de son passé, son histoire ou ses mille histoires. Les villes anciennes, comme Mylai (Milazzo), Tyndaris (Tindari), Arconidea (Alesa), Tauromenion (Taormina), Naxos (Giardini) montrent les vestiges d'antiques et florissantes civilisations.

Parmi les beautés qui charment l'oeil et frappent l'imagination, citons les nombreuses plages à perte de vue, sur les deux côtes, de Torre Faro à Tusa et de Taormine à Messine, les falaises à pic sur la mer de Tindari et de Capo Sant'Alessio, les bois verts et florissants des Nebrodi et des Peloritani, les lacs, comme ceux de Ganzirri, les stations hydrothermales de Castroreale, d'Alì et de Lipari, les châteaux Sant'Alessio, à Sant'Alessio, San Francesco, à Forza d'Agrò, et ceux de Castelmola et de Francavilla.

LA FAUCILLE DE SICILE

Messine possède un port admirable dont le môle naturel, constitué par la péninsule de S. Ranieri, a la forme recourbée d'une faucille. C'est le sens de son premier nom, Zanclé, d'origine sicule, qui inspire ensuite aux auteurs grecs le souvenir de la faucille, dont Cronos se sert pour castrer son père Ouranos.

À l'aube du monde
règne un dieu farouche,
fils du Ciel et de la Terre,
qui dévore la vie
pour arrêter le Temps.

Voulant s'emparer du règne,
il mutile son père
d'un coup de serpe
et jette à la mer sa virilité.

Cet objet de révolte,
qui dessine la pointe de l'île,
incarne les luttes divines
et l'angoisse, sans remède,
des fils de Prométhée.

Malgré sa beauté,
charme de l'oeil et du rêve,
le détroit, nouveau Bosphore,
respire l'humeur,
souvent perfide,
des dieux.
Courants marins insolites
fracturent les rochers,
dénivellent les bas-fonds,

s'entrechoquent,
entre deux terres,
dans la redoutable fascination
de deux monstres,
nichés dans les grottes de la terreur.

Scylla et Charybde[217]
sont
les gardiens d'un enfer marin,
parfois sans retour.
Deux monstres
que nourrit, par milliers,
la hurlante Amphitrite[218].

Ovide les connaît.
Il connaît leurs assauts
déchaînés,
contre les coques fragiles,
sans défense,
qui traversent le détroit.
Scylla
en infeste le côté droit,
l'infatigable Charybde,
le côté gauche.
Celle-ci saisit les vaisseaux,

---

[217] De ces deux monstres bien connus de la mythologie, Scylla est embusquée sur la côte italienne (Calabre) du détroit de Messine, et Charybde sur la côte sicilienne, en face d'elle. La première, anthropophage, personnifie un écueil très dangereux, la seconde, de nature très vorace, un des tourbillons de l'entrée du détroit. Un pilote qui essaie d'échapper à l'un des dangers tombe dans l'autre, d'où le proverbe *tomber de Charybde en Scylla.*

[218] Reine de la mer, celle qui entoure le monde, et femme de Poséidon.

les engloutit et les recrache,
celle-là porte autour de ses flancs noirs
une ceinture de chiens féroces[219]
qui sèment la terreur.
Son large gosier hume la mer.

Il en est ainsi depuis Homère[220],
queVirgile[221] ne dément pas.

Entre la Punta Peloro
et la Punta Torre di Cavallo
règne l'épouvante,
qui féconde
aux cours des siècles
des fables, des songes et des mirages[222].

---

[219] Ovide, *Les Métamorphoses*, XIII, 730-732.
[220] *Odyssée*, XII, 89-100 et 105-106.
[221] *Énéide*, III, 420-428.
[222] Allusion aux légendes de Colapesce, de la fée Morgane, de Roger de Hauteville, et d'autres qu'inspirent les beautés sauvages du détroit.

LES VACHES DU SOLEIL

Mylai, aujourd'hui Milazzo, est située sur une langue de terre de six kilomètres de longueur. Fondée par les Grecs, les Chalcidiens de Zancle, elle était, selon les découvertes faites dans certaines de ses nécropoles, le siège d'un village du XIVe siècle av. J.-C. On y décèle même la présence des Étrusques. Près de cette ville, deux batailles importantes marquent le cours de l'histoire. Hiéron II de Syracuse y défait les Mamertins sur les rives du fleuve Longanos, en 268 av. J.-C., et les Romains y gagnent leur première bataille navale, en 260 av. J.-C., grâce à C. Duilius, l'inventeur des « corbeaux », ces espèces d'antennes soutenant des échelles qui permettent d'aborder le vaisseau ennemi et de combattre comme sur la terre ferme. Mylai est aussi au centre de diverses légendes, très anciennes, touchant la purification d'Oreste, le naufrage d'Ulysse et les vaches du Soleil.

Les astres déclinent,
la nuit tombe.
Le bateau est dans le creux
de la grotte des nymphes.

Des troupeaux,
des vaches aux cornes d'or,
paissent paisiblement
dans la verte prairie,
sous les yeux des Héliades[223].

Le Soleil,
du haut du firmament,
les caresse de ses rayons

---

[223] Filles d'Hélios et de l'Océanide Clyméné, elles sont les soeurs de Phaéton.

et baigne de sa chaleur
leur nourriture.
Elles sont sa joie et sa fierté.

Un jour,
les matelots d'Ulysse,
en l'absence de leur chef,
pourchassent les plus belles,
dévorent
leurs chairs immaculées.

Hélios,
de son char de feu,
voit le festin sacrilège,
et prie Zeus
de venger l'insulte.

Le fils de Laërte
querelle ses compagnons,
mais c'est trop tard,
il entend déjà,
présage d'un sort tragique,
les chairs meugler autour des broches.

À la hâte,
il reprend la mer.
Hélas, la course est brève.
Zeus pend sur la coque
une sombre nuée
et un orage fatal
tue les coupables[224].

---

[224] Ce récit s'inspire de la version d'Homère, *Odyssée*, XII, 312-419.

NIGRA SUM, SED FORMOSA

Fondée en 396 av. J.-C. par Denys l'Ancien de Syracuse, Tyndaris, aujourd'hui Tindari, connaît une grande prospérité sous les Romains. C'est près d'elle que Régulus affronte courageusement la flotte carthaginoise. Bâtie sur le Mons Iouis, qui garde encore aujourd'hui son nom, Mongiò, elle subit un tremblement de terre qui, selon Pline, entraîne, au premier siècle de notre ère, la moitié de son acropole, avec une partie des habitants, dans la mer. Mais ce sont les Sarrasins qui la détruisent définitivement. Aujourd'hui, au point le plus élevé du cap, là même où se trouvait l'acropole antique, est situé le sanctuaire de la Madone Noire.

> *Nigra sum sed formosa*[225],
> déclare la Vierge
> aux foules de pèlerins
> qui affluent à Tyndaris,
> au sanctuaire du cap,
> le plus sacré de Sicile.
>
> Étonnante mais rassurante modestie
> d'une jeune Madone,
> venue d'Orient,
> qui me rappelle
> celle de la statuette crétoise
> montrant avec fierté
> ses seins fermes et plantureux[226].

---

[225] *Je suis noire mais belle (bien faite).* L'édifice du sanctuaire actuel, en béton, englobe l'église du XVIᵉ siècle qui conserve, de cette période, un portail et la *Vierge noire.*

[226] Il s'agit de la statuette en faïence, dite *la déesse aux serpents*, qui se trouve au musée d'Héracléion, en Crète. Elle provient du palais de Cnossos.

Bienfaitrice,
elle reçoit les fidèles sur les vestiges
d'une ville païenne,
jadis illustre
par ses dieux et ses hommes.

Une vue splendide
sur les îles Éoliennes
évoque son charme d'antan.
En contre-bas,
une lagune
où l'eau dessine dans le sable
des formes
qui dansent avec la lumière.

Le théâtre, grec d'origine,
romain d'adoption,
est suspendu dans le bleu
du ciel et de la mer.
Le soir,
des bateaux s'allument
sur les vagues,
comme un rideau d'étoiles
sur le silence de la scène.

Du théâtre
jusqu'à la villa des mosaïques,
se promène,
à peine dessiné sur le gazon,
le *decumanus*,
rue pavée sur laquelle s'ouvraient,
un jour,
les boutiques de Tyndaris,

Dans la villa,
revit aujourd'hui
le temps des luttes et des batailles
dans les images viriles
d'une sévère décoration.
Les splendides mosaïques
du *Cerf rampant*,
des *Dioscures* et de *Trinacrie*
rappellent la ville et ses exploits.

Tout près,
un amas de pierres bien coupées
s'aligne
le long des parois et des arcs,
encore debout,
de la basilique et du forum.
Dans une niche,
la statue tronquée d'un Romain en toge
qui dessine un geste d'orateur.

Un vieux guide,
bancal et courbé par l'âge,
clopin-clopant
raconte l'histoire de la ville,
et veille sur ce cadeau des dieux
à la belle Sicile.

LE CHÂTEAU

La plus ancienne citation de l'existence du promontoire sur lequel se trouve le fameux château de Sant'Alessio remonte à Ptolémée d'Égypte (époque des Antonins : 138-180). Le géographe alexandrin mentionne, sur la côte de Taormine à Messine, un « arghennon acron », identifié généralement avec l'actuel cap Sant'Alessio. Ce sont les Grecs d'Eubée qui lui donnent ce nom. Avant même d'arriver à Naxos, où il fondent une colonie en 734 av. J.-C., la vue de la majestueuse beauté du promontoire, dont le calcaire, sous les rayons solaires du matin, resplendit d'une blanche lumière, leur rappelle l'arghennon acron de leur mère-patrie, le cap Blanc. Cette dénomination est remplacée par celle de Scala Sant'Alessio, en l'honneur d'un saint ayant vécu au Ve siècle de notre ère, puis devient simplement Sant'Alessio.[227]

Le château est sans doute construit par les Sarrasins. Tombé ensuite en ruines, il est relevé, semble-t-il, sous la domination des Aragonais.

Caressé par la première lumière,
le cap brille à l'aube.
J'en porte le reflet dans mes yeux
qui reculent
les limites du temps.

À la pointe d'une roche,
suspendue sur la mer,
il se dresse,
dans toute sa majesté.

---

[227] Le village, qui était une fraction de Forza d'Agrò, reçoit, après l'unité de l'Italie, le nom de Sant'Alessio Etneo, pour ne pas le confondre avec un autre Sant'Alessio d'Aspromonte, en Calabre. En 1948, lorsque Sant'Alessio Etneo devient une municipalité autonome, il prend le nom définitif de Sant'Alessio Siculo.

Un château, vers la montagne,
une tour, vers la mer.

Un horizon sans fin
de sentiments secrets
s'offre à l'âme
dans la magie de la nature.

Une joie divine,
mêlée à un calme profond,
serein,
pénètre mon esprit, au premier regard.
Ensuite,
un sentiment d'angoisse et de mystère
me suspend entre la réalité et l'inconnu,
le passé et l'avenir.

Je me sens petit,
et m'abandonne
à l'harmonie de Gaïa
et au bleu du ciel.

La mer,
qui l'entoure et le caresse
depuis des siècles,
a creusé dans les flancs du cap
trois grottes de merveilles,
jadis repère secret
de femmes et d'oiseaux.

Comme un répit
entre deux extases,
un chemin de fer le traverse,

disparaît dans les ténèbres,
plonge ensuite
dans l'éblouissant panorama
du mont Taurus
et la baie de Letojanni.

Du côté de la montagne,
face au soleil,
la route monte en serpent.
Trois tournants,
dignes d'Hadès,
vers le sommet
où l'arrête un carrefour.

C'est la porte du cap,
la porte de pièges et de truands,
la porte de batailles et d'invasions,
gardienne sévère
des *Fauces* d'Appien[228].

Derrière elle, le château,
témoin de tant d'événements,
séjour d'amis et d'ennemis,
offre encore
de sa masse tendre et imposante,
l'hospitalité d'un renouveau.

---

[228] Le manuscrit d'Appien, en grec, décrivant la position des armées d'Octavien et de Pompée avant la bataille décisive, parle de passages entre Taormine et Milae que Pompée fait barrer. Le mot *fauces* veut dire en latin « passage étroit, gorge, défilé, détroit ».

LES JASMINS DE SANT'ALESSIO

Un village charmant, situé entre Taormine et Messine, luit sous les rayons d'un soleil ami. Étendu entre la fin du Taurus et le torrent Agrò, il est entouré de gracieuses collines panoramiques et caressé par les vagues bleues de la mer Ionienne. Du haut du Capo, une vue splendide éclaire l'oeil et l'esprit. Des terrasses et des jardins se dégagent, associés dans une solidarité de bien-être, tous les parfums caractéristiques de Sicile. Parmi eux, le plus agréable est celui des jasmins.

Dans le silence nocturne de ma terrasse,
un lointain murmure de la mer d'Ionie
m'atteint.
Par-dessus les jardins embaumés,
une vague de parfum
caresse mon corps sans défense.

Ce sont les jasmins
de Sant'Alessio.

Nourris d'une terre riche et ferme,
baignés d'une eau avare,
caressés par un vent d'Afrique,
ils embaument
le corps et l'esprit.

La lune, rivée à son ciel,
est jalouse
de l'abandon de ma chair
à ce parfum, digne de son Endymion[229].

---

[229] Un berger d'une grande beauté qui a inspiré à la Lune (Séléné) un violent amour.

Dans mon heure ultime,
où la divine Lachésis
décide de couper le fil de ma vie[230],
je veux diluer mon agonie
dans l'ivresse de ces jasmins,
comme l'âme de Démocrite
s'attarde
dans l'odeur du pain frais[231].

---

[230] Allusion aux Parques, ou Moires, Atropos, Clotho et Lachesis, qui règlent la vie des humains, de la naissance à la mort, à l'aide d'un fil.

[231] C'est Dacia Maraini qui me rappelle ce détail dans son roman *Bagheria* (Rizzoli, 1993). Né à Abdère, vers 460 av. J.-C., Démocrite est mort presque centenaire. Il a laissé un grand nombre d'ouvrages se rapportant à la philosophie, à la musique, aux mathématiques, à la morale. Pour ne pas gâter le mariage de sa soeur, qui devait avoir lieu alors qu'il était moribond, Démocrite s'est tenu en vie pendant trois jours en respirant l'odeur du pain frais.

LES COULEURS DE LA MAGIE

L'antique Tauromenion, petite ville habitée par les Sicules, entretient de très bons rapports avec les Grecs de Naxos qui viennent de s'installer à ses pieds. Elle tombe successivement sous la domination de Denys de Syracuse en 392 av. J.-C., après la destruction de Naxos survenue en 403 av. J.-C., des Carthaginois, de Tyndarion, d'Hiéron II de Syracuse, et enfin des Romains. De ces derniers, on garde les restes d'un odéon, un mur impressionnant, appelé sans raison Naumachie, percé de niches, un aqueduc avec réservoir, des thermes, restes de l'enceinte, quelques tombes, et surtout le théâtre dont ils ont modifié les structures grecques.

Ce sont les Sarrasins qui détruisent, en 902 , cette jolie petite ville qui, heureusement, renaît de ses cendres.

Je respire les odeurs de citron
dont l'air est brassé.
Mon regard suit les nuances
d'un paysage
chauffé de soleil.

Le bleu lourd, presque noir,
de la mer,
le vert tendre des orangers,
le brun rouge de la terre,
le blanc enneigé de l'Etna,
peignent le tableau enivrant
de Taormine.

Le double escalier de l'église rose,
demeure de San Giuseppe,
descend sur la place,
balcon suspendu du paradis.

Une vue sur la mer
plonge sur le Cap et Isola Bella,
traversant les terrasses,
inondées de lumière,
où jaillissent, tels des éventails,
les palmes d'une oasis.

Maisons plates, presque arabes,
orangers et citronniers,
sagement rangés sur la terre ocrée.

Les mains habiles de la nature
dessinent les plantes,
étirent les nues,
expriment les moirures infinies
de la mer, frôlée d'oiseaux,
lit de vagues qui bougent à peine,
en bas, dans la baie de Naxos.

Sur ce coin de terre
où montent
les odeurs de la mer Ionienne
et la fraîcheur des neiges de l'Etna,
à travers gorges
et tertres plantés de vignes,
la fantaisie s'exalte,
conquise par la joie et la lumière
d'une ville unique au monde.

Taormine
est parfum, rêve et mystère,
mer et coquille de peintre.

LE THÉÂTRE

Taormine, installée sur une magnifique terrasse entre mer et montagne, offre l'un des plus beaux panoramas que les dieux aient donnés aux hommes pour rêver. Le soir, quand la lumière passe du rose au violet, quand la lune transforme la mer et les montagnes en un rêve d'argent, noblesse, sérénité et grandeur évoquent Homère et Théocrite. Le théâtre[232], vestige illustre, avec son cadre féerique et le plus fantastique des décors de fond, stupéfait.

Avec une vue sur l'Etna,
un regard sur Naxos,
la mer en feu
et l'air en fleurs,
son décor magique,
parfumé de siècles,
inspire sans cesse
la scène et ses acteurs.

Les gestes,
lourds et sévères,
comme ceux de la Grèce antique,
dessinent
des images lyriques et passionnées.
Les mots sont des étoiles,
le silence est musique,
lumière sacrée
d'un art millénaire[233].

-----

[232] Construit au temps d'Hiéron II et remanié à l'époque romaine, sous les Antonins, il rappelle, par son histoire et ses dimensions, celui de Syracuse.

[233] Paru dans *Mélanges Ernest Pascal, op. cit.,* 1990.

LE MONT VÉNUS

Sur les hauteurs qui couronnent Taormine se trouve Castelmo-la, un petit village très pittoresque, soutenu par un rocher à 450 mètres d'altitude. De là, on peut faire l'ascension du Monte Venere, le mont Vénus, où la déesse de l'amour récompense ses fidèles courageux. C'est un de mes pèlerinages préférés. Près du ciel qui m'enveloppe de son air bleu et devant la mer enchantée qui me renvoie là-haut les rayons du soleil jaloux, je m'abandonne et j'oublie que suis mortel.

Sous les algues brunes
de ta conque vénusienne,
tes lèvres,
comme la coquille d'un bivalve,
s'ouvrent sur des chairs
que teint la pourpre de Sidon.
Les fines ciselures de tes nymphes
tiennent des merveilles
de l'eau marine,
berceau de Vénus.

Une moule entrebâillée,
propose ton symbole,
comme l'huître,
réceptacle d'eau saline,
qui m'offre
sa perle et son parfum,
ou comme l'oursin,
sombre et pileux,
qui cache ses délices saumonées,
pendant que l'étoile épanouit ses bras,
comme l'aimée autour de l'amant.

Ta sève,
que fait sourdre mon désir,
allie la mer et l'amour,
et dilue,
la durée d'une étreinte,
mon angoisse d'être né mortel.

LES JARDINS DE NAXOS

Fondée en 735 av. J.-C., selon d'autres en 757 av. J.-C., Naxos est la première colonie grecque en Sicile. Ce sont les Chalcidiens d'Eubée qui ont installé, à cet endroit merveilleux de l'île, leur nouvelle demeure et lui ont donné le nom de leur ville natale. Ayant pris le parti d'Athènes contre Syracuse, elle est détruite par Denys l'Ancien, en 403 av. J.-C., qui profite de l'occasion pour occuper également l'escarpement où naîtra, plus tard, sous Andromachos, Taormine. Naxos connaît ensuite une brève renaissance mais disparaît complètement au temps de Pausanias.

Les fondateurs de la ville avaient le goût des beaux espaces pour avoir choisi ce promontoire qui forme une baie enchanteresse, une des plus belles de Sicile. Encore aujourd'hui, on fait une promenade au cap Schisò non seulement pour admirer les vestiges de la ville antique[234], mais aussi, et peut-être surtout, pour jouir d'un paysage que l'on peut qualifier de féerique. La nature y a dessiné une végétation appropriée à la beauté géographique, ce qui a valu à la petite ville, après l'abandon de l'Antiquité, le nom de Giardini. C'est tout récemment qu'on a exhumé des restes de son histoire le nom prestigieux de Naxos pour le faire revivre à côté de celui de Jardins. En effet le nom actuel est Giardini-Naxos.

> Par volonté de l'oracle,
> ils s'embarquent,
> sous la conduite d'un chef élu[235],
> à la recherche
> d'une nouvelle patrie.

---

[234] L'enceinte de la cité en blocs basaltiques, quelques tombes de la période de renaissance de la ville, les fondations de quelques temples, les restes de deux fourneaux de briques, la chapelle de Santa Venera, probable souvenir d'un sanctuaire d'Aphrodite.

[235] C'est le Chalcidien Thuclès. Une version tardive, non fondée, attribue la fondation de Naxos à l'Athénien Théoclès.

Ils emmènent de la ville natale
le feu sacré du temple,
une poignée de terre,
les objets du culte,
le nom de Naxos.

L'Archégétès[236] les protège
et les guide
jusqu'au cap qu'il a choisi
pour sa nouvelle demeure.

C'est là,
sur cette langue de terre mystérieuse,
caressée par les vagues
de la mer Ionienne,
peuplée de nymphes et de dauphins,
qu'ils bâtissent un temple,
tracent l'enceinte d'une ville.

Ils l'entourent de vignobles et de vergers,
de citronniers et d'orangers
et l'offrent à leur dieu
dans le parfum stupéfiant
des bougainvilliers.

Les siècles passent,
l'heureuse *polis*[237]
subit la jalousie de l'histoire,
et disparaît dans la haine des hommes.

---

[236] Il s'agit d'Apollon Archégétès, c'est-à-dire le « fondateur ».

[237] Un terme grec signifiant « ville » (territoire et habitants) et par extension « pays, contrée ».

Mais l'histoire se ravise
et se répète.

Les aventuriers de l'Eubée[238]
débarquent de nouveau
sur ce rivage paisible
et font revivre
le mythe de Naxos et de son charme.

Sur ses restes
arrachés à l'oubli du temps,
au milieu des frissons
d'une nature enivrante,
d'un climat de paradis,
renaît le miracle du bonheur,
aux pieds de Taormine.

Une mer cristalline,
marbrée d'azur,
une plage dorée,
une falaise en pierre solide,
douces collines couvertes d'oliviers,
une végétation riche et parfumée
sur la lave émiettée par les siècles.

Naxos,
c'est un jardin
où l'amour et la mer
sont les complices de l'extase et du bonheur.

---

[238] Île de la mer Égée.

20. Les écueils.
La végétation des îles Éoliennes est typiquement méditerranéenne. La faune est riche et variée. La mer, limpide et poissonneuse, est habitée d'écueils qui l'animent de formes fantastiques, vrais poèmes d'une nature capricieuse, sur lesquelles le soleil couchant envoie ses jeux de lumière.

CHAPITRE XII

LA SICILE ET SES SATELLITES

> Nous gagnons Éolie, où le fils d'Hippotès, cher aux
> dieux immortels, Éole, a sa demeure.
>
> Homère, *Odyssée*, X, 1-2.

La plus fertile des îles qui forment le groupe des satellites de la Sicile est sans doute Pantelleria, dans la province de Trapani. Rochers merveilleux habités par des pêcheurs, des producteurs de muscat et de câpres. Non loin de là, dans la province d'Agrigente, les îles Pélages, Linosa et Lampedusa, plus africaines qu'italiennes. Le soleil y est de feu et la mer de cristal. Face à la côte de la pointe occidentale de la Sicile, dans la province de Trapani, se trouvent les îles Égades, Levanzo, Marettimo et Favignana, l'*Aegusa* des Anciens où se pratique encore la « mattanza » des thons. Au nord, vis-à-vis de Palerme, est située la splendide Ustica, qui appartient à la province de Palerme. Enfin, les îles Éoliennes, de la province de Messine : Alicudi, Filicudi, Salina, Panarea, Lipari, témoignage vivant de mille civilisations, Vulcano avec ses boues thérapeutiques, et Stromboli où un village blanc s'étend aux pieds du volcan.

LES PERLES DE LA MER

Les îles de la Sicile sont comme des perles plongées dans la mer. Sur leurs plages, déjà en avril, on s'embrasse en plein soleil. Le brouillard n'existe pas, le crépuscule ne saurait exister que le soir. Le soleil est partout : sur les côtes en face de l'Afrique, sur les côtes de la mer Tyrrhénienne, sur les côtes de la mer Ionienne.

Ustica,
est *une perle noire*[239],
dans la mer de Palerme.
Après le travail millénaire
du vent et des eaux,
ses roches laviques
s'habillent
des formes étranges du mystère,
pendant que les vagues de sa côte
chantent
dans le bleu placide du silence.

Favignana
est le théâtre des pêcheurs.
Le thon gémit dans la mer,
agonise
dans la chambre de la mort[240].
Duel inégal sur terre,
pour celui qui, dans la mer,
est le maître.

---

[239] Elle est appelée, en effet, *la perle noire de la Méditerranée* à cause de la couleur de ses roches.

[240] Allusion à la *mattanza*, un genre de pêche très violente, en voie de disparition, qui se pratique encore dans cette île. Le mot *mattanza* vient de l'espagnol *matar* qui veut dire « tuer ».

Une chevelure d'arbres
couvre **Pantelleria**,
jusqu'à l'eau,
la confond avec la mer.
Les couleurs se renvoient
des éclats de lumière,
des rayons de soleil.

Lampedusa,
clouée sur un fond transparent,
offre des baies et des plages
qui connaissent
les passions
des dieux et des hommes.

Vulcain est un dieu,
le génie du feu.
Il a laissé son empreinte
dans l'île qui porte son nom
et dans tout l'archipel du vent[241].
La terre s'agite sous sa force.

Lipari,
surgit de la mer
avec sa haute acropole
qui dresse, avec orgueil,
au-dessus des blanches falaises,
le faîte de ses églises,
les vertes chevelures
de ses pins maritimes.

---

[241] Les îles Éoliennes.

Stromboli,
empanachée de fumée,
rougit les nuits,
à l'autre bout,
avec le feu qui surgit de ses entrailles.
L'horizon est peuplé de monstres marins.
Neptune dépose son trident
pour aimer Minerve.

UNE ÉOLIENNE ÉGARÉE

L'île d'Ustica, au nord de Palerme, est de nature volcanique, avec des côtes hautes et escarpées. Sa structure géologique est identique à celle des Éoliennes. L'un de ses attraits réside dans les nombreuses grottes naturelles ouvertes sur la côte. C'est une agréable petite île qui subit à la fin du XVIIIᵉ siècle une étrange colonisation dont certains toponymes, comme Guardia dei Turchi, Grotta delle barche, Punta dell'Omo morto, rappellent la pénible épopée. Les habitants, dont la plupart étaient des colons venus de Lipari, sont faits prisonniers par des pirates qui les vendent ou les échangent à Tunis et à Alger. D'aucuns réussissent à se sauver dans les nombreuses grottes d'Ustica et demandent l'aide de Palerme qui les rachète. Attirés par son charme irrésistible, les prisonniers retournent, après la libération, dans l'île pour y rester.

Un rocher verdoyant,
bordé de côtes escarpées et sauvages,
Ustica
est une soeur égarée des Éoliennes.

L'homme n'a pas encore altéré
ses paysages, son innocence.
Les voûtes des grottes,
ornées de stalactites,
les eaux transparentes,
comme cristal azuré,
s'animent,
spectacle de magie,
à la lumière des ouvertures
déchiquetées par le temps.

Si Ulysse avait connu cette île,
il ne serait pas rentré à Ithaque.

Roches volcaniques,
décor lunaire,
rochers rongés par la mer,
anses pittoresques,
où la mer se colore de bleu intense,
et petites plages de sable fin,
où les vagues brisent leur écume.

Sur ce sable, doux et sensuel,
le temps compte les minutes éphémères
de mes rêves
et modèle mes fantaisies
comme des châteaux dans le vent.

Sur ce sable, doux et sensuel,
j'imprime un pacte d'amour,
un serment,
les empreintes de mes pieds nus,
je poursuis la subtile silhouette
de son corps baigné de sel.

Sur ce sable, doux et sensuel,
je dore et caresse de brise mon visage,
je regarde naître le soleil,
j'attends l'éclipse d'un baiser lunaire,
et le doux bercement des vagues
pour sentir
la soif blanche de liberté.

Sur ce sable, doux et sensuel,
la nuit s'étend,
efface tout vestige.
À l'aube, tout recommence.

LA GROTTE DES ÉGADES

*Les Égades comprennent trois îles principales, Favignana,
Levanzo et Marettimo, et deux îlots qui portent le nom de Formica
et Maraone. Visibles de la légendaire Éryx, elles forment un
archipel dont la beauté naturelle, les côtes, les montagnes et les
grottes sont autant d'attraits qui embellissent la pointe occidentale
de la Sicile. Parmi elles, Levanzo s'impose par ses grottes
préhistoriques dont celle du Genovese, ornée de graffiti et de
peintures qui racontent, peut-être, mythes et rites du paléolithique.*

Sauvage et calme,
l'île est un sanctuaire.
Sa grotte
garde, jalouse, la préhistoire,
les images
de la première aurore
que des artistes sans nom
ont fait surgir de ses sombres parois,
pour animer mythes, rêves et mystères.

C'est le récit archaïque,
en dessin et peinture,
des premières présences
sur la terre sicilienne.

Six cerfs, dix bovidés,
douze équidés et un félin,
au pâturage ou en fuite,
partagent la grotte
avec des silhouettes humaines
et des idoles,
en forme de violons ou de bouteilles,
de croix ou de cylindres,

échos de la vieille Crète,
des Cyclades et de Troie.

Plus loin,
des humains asexués
dansent la joie d'un temps
où l'île n'était pas une île,
mais prolongeait la Sicile[242],
ou bien ils traduisent
divination et sacrifice,
rites magiques et initiations.

C'est une grotte qui rappelle
la nuit des temps.
Je l'ai connue un jour d'été,
au bout d'une longue promenade,
à dos d'âne,
car la mer sauvage,
aux prise avec Éole[243],
a refusé ma barque.

Un véritable pèlerinage
dans la protohistoire,
à califourchon
sur une bête préhistorique,
qui marque à jamais ma mémoire.

L'aspérité des lieux,
le chant des cigales,
le bleu dense du ciel,

---

[242] Avec l'île de Favignana.
[243] Dieu des vents.

l'air lourd et le feu du soleil
angoissent mon corps et mon âme.

Tout descend à pic sur la mer
et donne le vertige d'une transe.
Dans les crevasses,
des chardons et de blondes herbes.
Le long d'une pergola,
l'arôme secret d'un jasmin,
embaume
l'air ivre de chaleur.

À la tombée du jour,
patient et fidèle,
l'âne me ramène au village.

La nuit descend
par petites touches mauves
sur le décor des nuages en fuite.

LA CHAMBRE DE LA MORT

La pêche au thon est sans doute un des spectacles suggestifs de la mer des Égades. C'est la mattanza, *une pêche de tradition séculaire, une tuerie qui se déroule dans une atmosphère presque religieuse, en voie de disparition. San Cusumano et, surtout, Favignana, nous en offrent le dernier spectacle.*

Un chant lyrique,
d'allure tragique,
pénètre l'âme des pêcheurs
durant la *mattanza*.

Les filets sont jetés
au réveil printanier,
alors que les thons s'aiment.
Ils vont vers le large,
les eaux de l'Atlantique,
heureux et pleins de vie.

Les pêcheurs les attendent,
guidés par le *rais*[244],
dans les clôtures invisibles du destin,
où ils s'amusent
sans savoir que la mort
les guette.

Ils dansent, ils crient,
ils suivent le chemin fatal
de la chambre de la mort.

---

[244] Le chef des opérations dans la pêche aux thons, appelé ainsi, d'un mot arabe, selon la tradition sarrasine.

Dès qu'ils arrivent et font le nombre,
les pêcheurs hissent le filet,
battant la mesure
d'un rite cruel et sans issue
avec *la cialoma de li tunnari*[245].

L'eau qui cache le fond s'agite,
les hommes hurlent
alors que les premières nageoires
apparaissent.
La chambre de la mort,
chargée de thons luisants,
monte,
et la tuerie commence.

L'eau écume
sous les coups des harpons,
les poissons frétillent,
s'égarent, halètent
dans l'attente d'un coup de grâce.

Le sang coule,
rougit les eaux de la mort.
Les pêcheurs,
acharnés et sauvages,
hissent leurs victimes,
encore vivantes,
et les jettent au fond des barques.

---

[245] Une cantilène caractéristique, pleine de tristesse, qui invoque l'aide de saint Pierre : *Aia, molà, aia, molà ! È San Petru piscaturi.*

LA VIGNE DE PANTELLERIA

Habitée dès l'époque préhistorique, Pantelleria a une histoire mouvementée. Elle est colonisée par les Phéniciens, puis occupée par les Carthaginois, prise par les Romains qui la gardent à partir de 217 av. J.-C. À notre ère, elle passe sous la domination des Arabes (700), de Roger le Normand (1123) et des Turcs (1553) qui la dévastent.

Les vignobles de Pantelleria, l'antique Cossyra des Grecs, produisent un vin célèbre, très apprécié des Siciliens : le muscat. Les vendanges, malgré les progrès de la technologie, gardent encore une saveur de tradition. Le travail commence à l'aube et se termine au couchant.

Elle est calme.
Après tous les caprices des saisons,
maintenant elle est belle,
opulente, dorée.

Passionnément fatiguée,
voluptueuse,
avec ses pampres et lourdes grappes,
immobile,
elle se repose
sous le soleil de septembre.

Docile,
elle attend les vendangeurs,
silencieux,
lents et courbés,
qui arrivent
sous la rosée du matin,
parfumée de raisin.

Ils la dépouillent,
la violent, la pillent.
Sous leurs coups,
elle saigne
pour la joie des fidèles de Bacchus.

En dépit du progrès et ses machines,
des pieds agiles
écrasent encore dans les cuves
ses grappes agonisantes
qui sentent déjà le moût[246].

Après le couchant,
haillons fatigués,
souillés de sueur et de jus de raisin,
les vendangeurs reposent,
dans l'attente d'une nouvelle aurore.

---

[246] Il s'agit d'une image de plus en plus rare. Une machinerie bien appropriée la rend, aujourd'hui, caduque. Le progrès détruit parfois la poésie. La pauvreté la garde jalousement.

PRISONNIER D'UN PARADIS

Dix kilomètres de long et moins de quatre de large, Lampedusa appartient, avec Linosa et Lampione, à l'archipel des Pélages. Elle est plus près de l'Afrique (113 km) que de la Sicile (205 km). Habitée dès l'âge de bronze, l'île possède des vestiges d'habitations phéniciennes, grecques, romaines et arabes. Elle est déserte, en 1551, lorsque la flotte de Charles Quint fait naufrage sur ses côtes.

Terre fertile,
mais sauvage,
elle vit de silence sacré
et solitude.
Depuis le départ des Sarrasins,
le naufrage de Charles Quint,
elle flotte dans la mer
de l'oubli et du rêve.

Tombes antiques, sous le soleil,
témoignent,
dans un repos muet
coupé du clapotis venté des flots,
de la présence phénicienne,
grecque et romaine,
arabe.

Les escaliers de pierre,
bordés de géraniums,
descendent vers la mer,
les murs en chaux vive
reflètent l'air et la lumière,
les agaves fleuris
s'élancent vers le ciel,

les figuiers de Barbarie
verdoient
parmi les herbes jaunies.

C'est bien l'île
de Pline, de Strabon, de Ptolémée[247],
où les mythes
repoussent le progrès.

Souvent Éole l'enveloppe,
avec un air sec et ionisé.
Typhée[248], le géant de feu,
y fait parfois un saut.
Entre Neptune et Apollon,
souriante,
la mer ouvre l'éventail de ses frissons.

Mais aujourd'hui,
la mer est grosse et bien fâchée,
tout départ est interdit,
je suis, grâce à elle,
prisonnier d'un paradis.

---

[247] Curieux et passionnés d'histoire et de géographie, ces auteurs accordent une attention bien spéciale à la Lampedusa de l'Antiquité.

[248] Typhée ou Typhon, est le plus jeune fils de Gaïa et du Tartare, que Zeus a écrasé sous l'Etna.

SEPT ÉTOILES DANS LA MER

L'archipel des îles Éoliennes est formé de sept cimes d'immenses montagnes qui émergent de la mer : Vulcano, Lipari, Salina, Alicudi, Filicudi, Panarea et Stromboli. Sept autres petits îlots s'ajoutent au groupe, mais ils ne sont pas habités. On retrouve ici l'aube de la terre. L'homme y habite depuis la nuit des temps. Très tôt, l'imagination des Grecs en fait la demeure du dieu des vents, Éole, d'où le nom des îles. Des colonies grecques de Sicile viennent s'y fixer dès le VIe siècle av. J.-C. Les Athéniens pillent Lipari en 425 av. J.-C., suivis bientôt par les Carthaginois. Les Romains y arrivent en 252 av. J.-C., suivis par les Sarrasins, les Normands et les pirates arabes. Aujourd'hui, la vigne et l'olivier y règnent dans un climat doux et agréable qui alimente également les câpriers des vieilles pierres et les fleurs splendides d'une terre lavique.

Une lumière bleutée,
enveloppe les îles,
disposées
comme la Grande Ourse,
dans une mer de bleu saphir.

C'est **Vulcano**[249], la rocheuse,
qui m'accueille dans l'archipel,

---

[249] C'est dans cette île que les anciens placent la résidence d'Éole, le dieu des vents. Elle reçoit, au cours de l'histoire, des noms divers, comme *Hiera, Thermessa, Terasia*. Elle est formée de volcans soudés entre eux. Le plus grand, c'est le *Vulcano vecchio*. Les cratères du *mont Aria* et *Saraceno* sont éteints, celui de la *Fossa di Vulcano*, le grand cratère, depuis la dernière éruption de mars 1890, est dans une phase post-volcanique caractérisée par la présence de fumerolles et d'émanations de gaz. À signaler également *Vulcanello*, un vieux volcan surgi de la mer en 183 av. J.-C., éteint, situé à l'extrémité sud-est de la baie de l'île.

après une danse effrénée
sur les vagues démontées
du roi Éole.

Adossée à une riante vallée,
bordée de sable noir,
la ville est fière
de ses verdures et longs roseaux,
des vignes folles et verts figuiers,
lauriers-roses et bougainvilliers,
qui décorent ses maisons blanches,
vérandas à colonnes, à peine visibles.

Une île riante,
cratères volcaniques,
fumerolles sous-marines,
un sol
surgi des feux du forgeron divin.

Dans un climat
qui enveloppe de sa clémence
la douceur et la joie
d'un peuple aimable,
les barques et les plages
résonnent de guitares et tendres mélopées.

Les eaux, imbibées de soufre,
fument par endroits,
bouillent en bains thermaux.
Le gravier, le sable et les rochers jaunes
brûlent,
des souffles de Vulcain,
la terre déshabillée et l'air en feu.

Un jour de canicule, je tente l'escalade.
Je traîne mollement les pieds
dans le sable noir,
lave pulvérisée,
je barbote dans l'eau de la baie,
grimpe les dunes
vers le sommet,
doucement caressé par le souffle léger
qui brise les rayons de Phébus.

Là-haut,
dans le silence du cratère,
où la lave paraît encore chaude,
mon âme se dilate
sur la côte effrangée,
et le relief tourmenté.

Je redescends au bord de l'eau
et admire le coucher du soleil,
resplendissant de pourpre et d'or,
émouvant,
dans l'éclat de son bonheur.

Après Vulcano,
c'est **Lipari**[250] la grande,
la verdoyante, colline deux fois sacrée[251].

---

[250] C'est la capitale des îles Éoliennes. Dominée par un promontoire naturel situé entre deux ports, la ville montre encore les traces de civilisations différentes. Le château, la cathédrale, le musée éolien et le parc archéologique occupent aujourd'hui la citadelle qui a logé les populations d'origine grecque, romaine et médiévale.

[251] Elle est d'abord le centre du culte païen et ensuite celui du culte chrétien.

Maisons colorées
serrées l'une contre l'autre,
décorent
le creux d'une masse rocheuse
où le port,
qui ne connaît pas de silence,
fourmille sans cesse
d'hommes et de choses.

Grecs, Carthaginois, Romains,
Byzantins,
et d'autres encore,
donnent à cette île un visage
que Mnémosyne[252] n'a pas oublié.

Sur l'acropole,
un jardin allongé
s'habille de tombeaux grecs et romains,
de lauriers-roses et de sapins.
Dans le ciel,
le clocher et la cathédrale.
Dans le musée,
une merveille de la Méditerranée[253],
les ménades dansent,
les satyres et les centaures
jouent du pipeau,
Dionysos et Vénus invitent au plaisir.

---

[252] Fille d'Ouranos et de Gaïa, elle est la mère des muses et personnifie
la Mémoire.

[253] Le musée réunit les témoignages des diverses civilisations qui ont
vécu dans l'archipel. Matériel archéologique très varié dans lequel la
céramique grecque a une place d'honneur.

Dans l'île,
un lourd nuage de poussière
enveloppe une carrière à ciel ouvert.
Les eaux transparentes de la mer,
où l'on flotte sur un rêve bleu
et des perles blanches,
baignent
les pieds des montagnes de ponces,
blanches et légères,
comme les neiges du printemps.

Derrière Lipari, la capitale,
s'exhibe le toit de l'archipel,
la charmante **Salina**[254].
Dans sa baie, le soleil et la mer
confondent leurs désirs
pour créer mille lumières
de jeux multicolores.

Ses plages sont petites, mais gracieuses.
Verte et féconde, comme Didyme,
l'île s'enivre de malvoisie[255],
se parfume de câpres et d'olives.

---

[254] C'est l'antique *Didyme*, la jumelle. Ce nom rappelle que l'île est faite de deux cônes volcaniques. Après Lipari, elle est la plus étendue et la plus peuplée de l'archipel. Elle possède aussi le plus haut sommet (962 mètres), la *Fossa delle Felci*. Giuseppe Tomasi di Lampedusa en fait, dans *Le Guépard*, le fief du prince Salina.

[255] Un vin doux très apprécié des Siciliens. Le nom *malvasia* dérive de celui d'une petite ville de Grèce, célèbre dans l'Antiquité pour la production d'un vin très recherché. Le cépage *malvoisie* est importé dans l'île de Salina par les premiers colons grecs entre les années 588 et 577 av. J.-C.

Sur la gauche, pleine mer,
à l'horizon,
apparaissent **Filicudi** et **Alicudi**[256],
inséparables
comme les seins de la Déesse.

Étendues de bruyère,
elles sont perdues, hors du monde,
dans un silence profond
que seul le mugissement d'une grotte[257]
brise avec ses eaux babillardes.

Des écueils hors du réel
animent
de formes fantastiques
leur paysage
au soleil couchant[258].

De retour vers la droite,
au loin,
un fantôme rose se dessine
sur l'horizon flou du ciel,
une île transparente.

---

[256] Le nom ancien de Filicudi est *Poenicusa*, c'est-à-dire « l'île des fougères ». C'est un cône posé sur la mer avec trois cratères éteints : *Fossa delle Felci, Montagnola, Torione*.

Alicudi, dont le nom ancien est *Ericusa*, du grec *Erikê*, c'est-à-dire « bruyères », a elle aussi une forme conique, avec un sommet de 675 mètres d'altitude. Elle est la plus occidentale des Éoliennes.

[257] Il s'agit de la grotte célèbre *Bue Marino* de Filicudi dans laquelle, selon la tradition, habite un phoque. L'eau résonne sous sa voûte.

[258] Le plus connu de ces écueils qui entourent Filicudi porte le nom de *Canna* (85 mètres de hauteur).

C'est **Panarea**[259],
entourée de récifs
et le rocher de Basiluzzo,
le petit règne
du silence et des lapins.

Profil escarpé et dentelé,
plages immaculées,
dans les soupirs et les murmures
de nymphes et de sirènes,
cette île est le dernier récif
de Thyrrénie,
continent disparu par volonté de Tellus[260].

Au nord de toutes,
au levant, s'avance,
empanachée de fumée,
Stromboli[261],
l'étonnante, la poignante,
la plus fière des îles Éoliennes.

---

[259] La plus petite de l'archipel. C'est l'*Enonymos* des anciens, avec un sommet de 421 mètres, la *Punta del Corvo*. Elle est entourée d'îlots qui portent le nom de Basiluzzo, Spinazzola, Lisca Bianca, Dattilo, Bottaro, Lisca Nera et Formiche. Peut-être qu'autrefois elle ne formait qu'un tout avec eux.

[260] La légende affirme qu'un continent existait à cet endroit, la Tyrrhénie, disparu à la suite de mouvements telluriques importants.

[261] Son nom, grec, dérive de *Strongylos*, qui veut dire « borne ronde ». Vue de face, en effet, Stromboli ressemble à une toupie, une *strummula*, comme disent les Siciliens. À cause de son activité volcanique, l'île est la plus célèbre des Éoliennes. Le sommet, *Serra Vancura*, s'élève à une hauteur de 926 mètres.

Elle m'accueille
par une plage de sable noir,
sur laquelle veille
la roche-phare de Strombolicchio[262],
pittoresque silhouette
d'un château médiéval.

L'île est un volcan,
grondements sourds et angoissants,
un feu d'artifice.

Une immense traînée de lave
glisse
sur la *sciara del fuoco*[263],
tombe droit dans la mer
qui bout
comme mille chaudrons.
Blocs incandescents,
nuit et jour,
dansent dans le ciel,
à un rythme régulier,
comme une horloge.

Sur la pierre
et le noir des *lapilli*[264],
vivent figuiers

---

[262] Un rocher, de 43 mètres de hauteur, qui surgit de la mer à un mille de Stromboli.

[263] La *sciara*, d'un mot arabe signifiant « route », est une crevasse du volcan le long de laquelle coule la matière volcanique avant de se jeter dans la mer.

[264] Le latin *lapillus* veut dire « petite pierre » et indique un fragment de roche volcanique.

et pommes grenades,
lauriers-roses et campanules,
câpres et genêts,
vignes au parfum de *malvasia*.

Des fleurs exotiques
aux couleurs sauvages
poussent sur la lave pétrifiée.

Contraste
avec la voix courroucée du volcan
celle des habitants.
Une fleur dans la chambre,
un sourire dans la rue
sont gages d'amitié et gentillesse
et rappellent,
avec un sens du sacré,
l'hospitalité de la Grèce ancienne.

Dans tout l'archipel,
la liberté n'a qu'une limite :
le respect de celle des autres.
Flottantes sur la mer Tyrrhénienne,
ces îles sont des oasis
où Hypnos[265],
assouplit les êtres et leur accorde,
le don
de dormir les yeux ouverts
pour regarder,
sans cesse, leurs amants.

---

[265] Dieu du sommeil qui, dans la mythologie grecque, accorde à Endymion, son amant, le même privilège.

21. Le figuier de Barbarie.
Ce cactus, genre *opuntia*, avec ses rameaux aplatis et charnus, ses aiguillons, ses belles fleurs et ses figues, défie le chaud soleil de Sicile. On le retrouve partout, dans les campagnes, dans les villes et les villages, autour des maisons.

22. Une acanthe.
Aux feuilles très grandes et décoratives, aux fleurs en épis, l'acanthe
borde et parfume spécialement les sentiers qui mènent aux sites, aux lieux
historiques et aux monuments divers de l'île auxquels elle est liée. Sa
feuille, en effet, inspire le motif décoratif des chapiteaux corinthiens.

BIBLIOGRAPHIE

Les écrits anciens et modernes qui parlent de la Sicile sont nombreux. Prendre cette île par le coeur et la dire en poèmes comme je le fais m'autorise à oublier l'appareil bibliographique habituel.

Je me limite donc à soumettre au lecteur la liste des ouvrages et documents consultés, auxquels je dois les renseignements d'ordre historique et archéologique qui présentent ou accompagnent les poèmes, et une courte bibliographie de livres écrits de préférence en français ou en italien, qui portent surtout sur l'histoire générale de la Sicile.

J'omets intentionnellement de citer les guides touristiques, les ouvrages d'art spécialisés, ou les articles de revues spécialisées ou populaires, dans lesquelles les archéologues et les historiens traitent de sujets divers sur les cent visages de cette île millénaire.

Enfin, je ne fais aucune allusion à la riche littérature, ou à la documentation, sur les questions sociologiques et la mafia, sujets qui n'ont aucun rapport avec le but de ce recueil.

Livres et documents consultés

Parmi les nombreux documents, de nature très différente, qui ont guidé mon voyage à travers la Sicile, je tiens à signaler, en dehors des ouvrages scientifiques sur l'histoire et la civilisation de l'île, ceux auxquels j'ai emprunté les renseignements d'ordre pratique et les notes pertinentes pour donner un cadre géographique et archéologique à mon recueil.

Ma première source est la revue *Sicilia* publiée, pendant des années, par l'Assessorato Turismo e Spettacolo della Regione Siciliana, Editore S. F. Flaccovio, Palermo. La deuxième, c'est le livre-guide de mon collègue français Pierre Lévêque, *La Sicile*, Paris, Presses Universitaires de France. Enfin, le très agréable ouvrage de Maria Brandon-Albini, *La Sicile et son univers*, Paris, Hachette.

À ces trois documents, j'ajoute les nombreuses publications de l'Office régional du tourisme, des communications et des transports de Palerme et, également, *La Storia della Sicilia* de Santi Correnti, Periodici Locali Newton, Roma.

Avant de signaler quelques ouvrages d'utilité générale sur la Sicile, je me permets d'inviter le lecteur à se laisser bercer, comme je l'ai fait moi-même, par les récits de voyage que des visiteurs célèbres ont écrits dans l'amour et l'admiration de cette île merveilleuse. En voici quelques-uns :

BERENSON, B., *Voyage en Sicile*, Paris, 1956.

BRANDON-ALBINI, M., *Sicile secrète*, Paris, 1960.

DE MAUPASSANT, G., *La Sicile*, Palerme, Promopress, 1991. C'est une édition qui reproduit le récit de Guy de Maupassant, publié dans sa forme définitive, en 1890, dans *La Vie errante*. L'auteur a fait le voyage au printemps 1885.

FAURE, G., *En Sicile,* Grenoble, Arthaud, 1930.

GOETHE, W., *Voyage en Italie*, Paris, Hachette, 1878. On dispose de plusieurs traductions françaises de l'original *Italienische Reise*. Celle-ci est de J. Porchat. À signaler aussi celle de J. Naujac, Paris, Éditions Montaigne, 1961.

IBN JUBAYR, A., *Viaggio*, Palermo, 1970.

MUNTER, F., *Viaggio in Sicilia*, Palermo, 1823.

PEYREFITTE, R., *Du Vésuve à l'Etna*, Paris, Flammarion, 1952.

RENAN, E., « Vingt jours en Sicile », dans *Mélanges d'histoire et de voyages*, Paris, 1898.

T'SERSTEVENS, A., *Sicile, Éoliennes, Sardaigne*, Paris, Arthaud, 1957.

Livres d'intérêt général

AMARI, M., *Storia dei Musulmani in Sicilia*, Catania, 1933.

ANDRIEUX, M., *La Sicile, carrefour des mondes et des empires*, Paris, 1965.

ANDRONICO, D., *L'Etna e le sue meraviglie*, Catania, 1930.

Bac, F., *La Sicile*, Paris, Hachette, 1935.

BAYET, J., *La Sicile grecque*, Paris, 1930.

BÉRARD, J., *L'expansion et la colonisation grecques jusqu'aux guerres médiques*, Paris, 1960.

BÉRARD, J., *La colonisation grecque de l'Italie méridionale et de la Sicile dans l'Antiquité. L'histoire et la légende*, Paris, Presses Universitaires de France, 1957. Publié également en italien sous le titre de *Magna Grecia*, Torino, 1973.

BÉRARD, J., *Les Phéniciens et l'Odyssée*, 2 vol., Paris Colin, 1902-1903; (nouvelle édition 1927).

BERNABÒ BREA, L. et CAVALIER, M., *Mylai*, Catania, Società Storia Patria per la Sicilia Orientale, 1959.

BERNABÒ BREA, L. et CAVALIER, M., *Il Castello di Lipari e il Museo Archeologico Eoliano*, Flaccovio Editore, Palermo 1958.

BERNABÒ BREA, L., *Musei e monumenti in Sicilia,* Novara, Istituto Geografico De Agostini, 1958.

BERNABÒ BREA, L., *La Sicilia prima dei Greci*, Milano, Il Saggiatore, 1960.

BIROT, P. et DRESH, J., *La Méditerranée et le Moyen-Orient*, Paris, 1953.

BRAUDEL, F., *La Méditerranée et le monde méditerranéen à l'époque de Philippe II*, Paris, Armand Colin, 1949.

BRION, M., *L'art en Sicile*, Paris, Éditions des Deux Mondes, 1955.

CHALANDON, F., *Histoire de la domination normande en Italie et en Sicile,* Paris, 1907.

CHIESI, G., *La Sicilia Illustrata*, Milano, 1892 (nouvelle édition 1986).

CIACERI, E., *Storia della Magna Grecia*, Milano, 1927-1932.

CIACERI, E., *Culti e miti nella storia della Sicilia antica*, Catania, 1911.

COCCHIARA, G., *Sicilia*, Milano, 1961.

COLLI, I., *Leggende della Sicilia*, Milano, 1938.

COLLURA, M., *Sicilia sconosciuta*, Milano, Rizzoli, 1984.

CROCE, B. *Storia del Regno di Napoli*, Bari, 1925.

DE MIRO, E., *La parola del passato*, Palermo, 1956.

DIEHEL, CH., *Palerme et Syracuse*, Paris, 1907.

DRAGO BELTRANI, A., *Castelli di Sicilia*, Milano, 1956.

DUNBABIN, T. J., *The Western Greeks*, Oxford, 1948.

DURO, C., *La Valle d'Agrò*, Verona, Città del Sole, 1987.

FINLEY, M. I. et MACK SMITH, D., *A History of Sicyle,* London, 1968.

FOTI, G., *Leggende di Sicilia*, Palermo, 1937.

GANCI BATTAGLIA, G. *Storia di Sicilia*, Palermo, 1961.

GENTILI, G., *La villa imperiale di Piazza Armerina*, Rome, 1954.

GIANNELLI, G., *Culti e miti della Magna Grecia*, Firenze, 1924.

GRECO, S., *Miti e leggende di Sicilia*, Palermo, Dario Flaccovio Editore, 1993.

GRAVES, R., *Les mythes grecs*, Paris, Fayard, 1967. Publié également en italien sous le titre *I miti greci*, Milano, 1983.

HURÉ, J., *Histoire de la Sicile*, Paris, Presses Universitaires de France, 1957.

JORDAN, E., *Les débuts de la domination angevine en Italie*, Paris, 1909.

LA DUCA, R., *Cercare Palermo*, Palermo, 1985.

MANNI, E., *Sicilia pagana*, Palermo, 1963.

MARCONI, P., *Agrigento*, Rome, 1956.

MIRONE, S., *I Vespri Siciliani*, Catania, 1882.

MOSCATI, S., *Il mondo dei Fenici*, Milano, 1966.

NATOLI, L., *Storia di Sicilia*, Palermo, 1979.

PACE, B., *Arte et civiltà della Sicilia antica,* 4 vol., Milan-Rome, 1935-1949.

PAIS, E., *Storia della Scilia e della Magna Grecia*, Torino, 1894.

PARETI, L., *Sicilia antica*, Palermo, 1959.

PATRONI, G., *La Preistoria*, Vallardi, Milano 1937.

PITRÉ, G., *Usi, costumi, credenze e pregiudizi del popolo siciliano*, Palermo, 1889.

POTTINO, G., *Cartaginesi in Sicilia*, Palermo, Palumbo Editore, 1976.

PUGLISI, C., *Sant'Alessio Siculo*, Catania, Istituto Siciliano di Cultura Regionale, 1978.

SANTANGELO, M., *Taormina e dintorni*, Roma, 1950.

SCATURRO, I., *Storia di Sicilia. L'età antica*, 2 vol., Rome, 1950.

TRIMARCHI, F., *Savoca : Vetera et Nova*, Messina, Armando Siciliano Editore, 1993.

VALLET, G., *Rhégion et Zancle*, Paris, 1958.

VULLIER, G., *La Sicilia*, Milano, 1897.

ZAGAMI, L., *Le Isole Eolie nella storia e nella leggenda*, Messina, D'Amico, 1939.

TABLE DES ILLUSTRATIONS

Pages

1. La Sicile et ses satellites 8
2. Une jeune férule 11
3. Un bougainvillier 12
4. Le temple de Castor et Pollux 16
5. La voix du passé 32
6. Le temple de Diane 56
7. Le temple inachevé 82
8. Le tombeau di Pirandello 102
9. La madone byzantine. 119
10. La plante centenaire 120
11. Un fleuve de feu et d'eau 133
12. Le lit d'Éros 134
13. Une femme en marbre 149
14. L'oreille de Denys 150
15. La poterne 180
16. Le Rocher de Cérès 191
17. Les chardons de Coré 192
18. Le château 217
19. Le mont Vénus 218
20. Les écueils 242
21. Le figuier de Barbarie 267
22. Une acanthe 268

La petite carte de la Sicile est une gracieuseté de l'Office régional du tourisme, des communications et des transports de Palerme. Les deux dessins originaux sont de Nino Ucchino, de Santa Teresa di Riva, et les photos appartiennent à la photothèque de Domenico Fasciano.

INDEX GÉNÉRAL

Aceste, 83, 86
Achaios, 22
Achradine, 165
Aci Bonaccorsi, 144
Aci Castello,, 136, 144
Aci Catena, 144
Aci Santa Lucia, 144
Aci Sant'Antonio, 144
Aci Trezza, 144
Acireale, 136, 144
Acis, 50, 134, 144-148
Acragas, 84, 103, 111
Acrai, 20, 169
Actéon, 80
Adam, 70, 71
Addaura, 58
Adrano, 88, 136
Adranos, 47, 48
Agamemnon, 80
Agathe, 47, 49, 137-139
Agathoclès, 21, 153, 188
Agathon, 178
Adgestis, 172
Agira, 47
Agrigente, 15, 20-22, 24, 31, 84, 103-105, 117, 152, 189
Agyrion, 22, 177
Aidone, 47, 194
Alcmène, 209
Alfio, 48
Alì, 39, 220
Alì Terme, 39

Alicudi, 243, 258, 263
Alphée, 157
Ambrosia, 209
Amphitrite, 222
Anaclet II, 26
Anapos, 151
Anaxilas, 219
Anchise, 83, 84
Andromachos, 239
Angevins, 42, 121, 194
Antiochos, 22
Aphrodite, 58, 89, 169
Apollodoros, 22
Apollon, 79, 115, 154, 207, 208, 210, 240
Arabes, 9, 27-30, 35, 41, 46, 56, 57, 59, 61, 62, 64, 65, 69, 71, 79, 99, 121, 135, 142, 153, 162, 193, 235, 254, 256, 258
Aragonais, 30, 42, 121, 135, 181, 183, 217, 229
Aragons, 42
Archestratos, 22
Archimède, 22, 168
Arconidea, 220
Aréthuse, 154, 157, 160
Arghennon Acron, 217, 229
Arion, 22, 207, 208
Arlequin, 72
Artémis, 56, 79, 80, 157
Ascagne, 86
Asclépios, 115
Atargatis, 200

Athéna, 51, 103, 104, 113, 122, 129, 154
Athènes, 116, 155, 176, 178
Atropos, 233
Attis, 169, 172
Auguste, 24, 151, 153
Auson, 176
Autrichiens, 30
Azizah, 65
Bacchus, 255
Bacchylide, 22, 152, 155
Bagheria, 58, 72, 233
Balaal, 76
Barbares, 25, 41, 77
Bélisaire, 25
Bernardo Chiabrera, 127
Bible, 36, 69
Bourbon, 67
Bourbons, 30, 42, 103, 153, 194, 220
Bronze ancien, 18
Bronze récent, 18
Bue Marino, 263
Butera, 182
Byzance, 29, 41, 131
Byzantins, 26, 28, 29, 59, 135, 153, 193, 261
Caccamo, 58
Calascibetta, 194
Calcinara, 174
Callisto, 80, 185
Calpurnius, 25
Caltagirone, 39, 136
Caltanissète, 15, 28, 38, 181-183, 186
Caltanissetta, 181
Camarina, 20, 21, 38, 84, 121, 122, 129, 130, 151, 189
Camicos, 104
Canna, 263

Caos, 117, 118
Cap Lilibeo, 98
Cap Pachino, 98
Cap Pachynum, 83
Cap Peloro, 98
Cap Schisò, 55, 239
Capo Passero, 83
Cardo, 75
Carthage, 20, 21, 23, 77, 78, 85, 92, 97, 98, 153, 155
Casa Ciambra, 30
Casale, 24, 194, 202
Casalvecchio, 28
Casménai, 20, 151
Castalie, 185
Castelluccio, 18, 154
Castelmola, 220
Castelvetrano, 29
Castor et Pollux, 16, 111, 274
Castroreale, 220
Catana, 135
Catane, 15, 20, 24, 28, 38, 49, 54, 135-138, 144, 176, 189, 216
Catané, 135
Cava d'Ispica, 38, 122, 132
Cefalù, 9, 15, 29, 56, 58, 76, 79, 81
Céléno, 85
Centoripa, 215
Centuripe, 88, 194, 215, 216
Céphalé, 36, 79
Céphaloidion, 79
Cérès, 49, 50, 185, 186, 191, 193, 195, 197, 198, 274
Chapelle Palatina, 62
Charles III, 67
Charmos, 22
Charybde, 39, 222
Chiaramonte Gulfi, 122
Christ, 53, 69, 70, 183

Cicéron, 24, 48, 106, 165, 178, 193, 195
Cirino, 48
Cithéron, 80
Claude, 24
Clotho, 233
Clyméné, 224
Cnossos, 226
Cocalos, 18, 104
Colle Orbo, 169
Comiso, 38, 122
Conca d'Oro, 36, 57, 60, 69
Concorde, 104, 107
Constance, 29, 59, 61
Constantin, 24
Corax, 22, 178
Coré, 179, 190, 192, 196, 274
Corinthiens, 20, 151, 204, 268
Corleone, 67
Cossyra, 254
Crétois, 20, 188
Croisades, 27
Cronion, 189
Cuba, 28, 65
Cubula, 28, 65
Cupidon, 145
Cyané, 49, 154, 156, 157, 160, 162, 176
Cybèle, 169-173
Cyclopes, 18, 46, 51, 83, 143
Cyparissos, 210
Damophilos, 200, 201
Decumanus, 75, 227
Dédale, 104
Delphes, 129, 185, 189
Déméter, 47, 50, 101, 111, 113, 114, 156, 172, 176, 179, 186, 190, 194, 195, 197, 198
Déméter-Malophoros, 101
Démocrite, 233

Denys, 21, 41, 96, 98, 150, 152, 164, 166, 167, 226, 234, 239, 274
Denys l'Ancien, 98, 150, 152, 166, 226, 239
Diane, 10, 56, 79, 81, 95, 111, 205, 207, 274
Didon, 84, 85
Diodore, 17, 18, 22, 178
Dionysos, 99, 128, 171, 199, 261
Dioscures, 47, 110, 111, 169, 173, 228
Donnafugata, 108, 122, 127
Doriens, 20
Doris, 145
Doucétios, 20, 152
Drepanon, 83
Duilius, 224
Ecnomos, 188
Égades, 36, 40, 83, 84, 98, 243, 249, 252
Égeste, 18, 46, 82, 93, 152, 177
Éleusis, 179, 196
Eloro, 154
Élymes, 9, 18, 46, 93
Empédocle, 22, 38, 43
Encelade, 51
Endymion, 232, 266
Enna, 15, 186, 193, 195, 197, 200
Éole, 176, 243, 250, 257-259
Éoliennes, 15, 40, 73, 227, 242, 243, 245, 247, 258, 260, 263, 264, 270
Épicharme, 22, 152, 155, 163
Épipoles, 151, 155, 156, 166
Erice, 15
Ericusa, 263
Érinyes, 73
Éryx, 18, 31, 46, 88-90, 177, 218, 249

Eschyle, 22, 135, 152, 155, 156, 163, 188, 190
Esculape, 115
Etna, 39, 43, 46, 48, 51, 52, 79, 83, 133-136, 138, 140, 144, 147, 148, 195, 206, 216, 234, 235, 257, 270, 271
Eudoxos, 22
Eunous, 193, 200
Euryale, 152, 154, 167
Ève, 70, 71
Évhémère, 22
Faunus, 148
Favignana, 83, 243, 244, 249, 250, 252
Ferla, 154
Filadelfio, 48
Filicudi, 243, 258, 263
Forza d'Agrò, 220, 229
Fossa delle Felci, 262, 263
Fossa di Vulcano, 258
Francavilla, 220
Frédéric II, 29, 59, 61, 137, 188
Furci, 39
Gaïa, 52, 230, 261
Galatée, 50, 134, 144-148
Gallien, 24, 165
Ganymède, 212, 214
Ganzirri, 220
Garibaldi, 26, 30, 98, 136, 194, 220
Gé, 48
Géla, 15, 20, 21, 38, 84, 104, 129, 151, 153, 180-182, 188-190
Gélon, 20, 77, 78, 96, 129, 135, 151, 188, 189
Genséric, 25
Giacomo Serpotta, 30
Giardini, 220, 239

Giardini-Naxos, 239
Giarre, 136
Girgenti, 117
Goethe, 33, 57, 66, 186, 270
Gorgias, 22, 155, 176, 178, 179
Grèce, 2, 13, 19, 21, 35, 77, 104, 109, 121, 149, 155, 157, 158, 178, 195, 236, 262, 266
Grecs, 2, 9, 13, 17-22, 24, 27, 34, 38, 46, 47, 56-59, 75, 76, 79, 89, 97, 114, 115, 135, 160, 173, 191, 212, 217, 221, 224, 229, 234, 254, 258, 261, 262, 272
Grotta del Genovese, 17
Guillaume Ier, 27, 65
Guillaume II, 27, 65, 69, 71
Guiscard, 26
Hadès, 43, 160, 190, 192, 196
Hamilcar, 77
Hannibal, 98
Hécate, 101
Hélénus, 85
Héliades, 224
Hélios, 224, 225
Hellanicos, 18, 46
Henri VI, 29, 59, 61
Héphaïstos, 47, 48, 50-52, 135
Héra, 101
Héracleia Minoa, 104
Héraclès, 48, 75, 101, 129, 176, 177, 178
Hiera, 258
Hiéron II, 162, 219, 224
Himère, 20-22, 36, 58, 77, 104, 151, 152, 177, 189
Hipparis, 129, 130
Hippias, 178
Hippolyte, 24, 81, 94, 95
Hohenstaufen, 27, 61, 137

Homère, 34, 223, 236, 243
Hybla, 121, 123, 124, 154
Hybla Haerea, 121
Hyblon, 174
Hypnos, 266
Ibla, 123, 124
Ida, 170, 214
Iolaos, 48
Iphigénie, 80
Isis, 47, 76, 137, 139
Isola Bella, 39, 235
Ispica, 119
Italos, 19
Junon Lacinienne, 108
Jupiter Olympien, 109, 154
Justinien, 25
Kentoripa, 194
Lachésis, 233
Lampedusa, 243, 245, 256, 257, 262
Lampione, 256
Laocoon, 72
Latomie, 150, 164
Le Dôme, 61, 138
Le Marché, 63, 64
Le Palais, 30, 62, 122, 182
Lentini, 154, 176
Léontinoi, 19, 20, 22, 46, 152, 154, 176-179, 189, 212
Lestrygons, 18, 46
Letojanni, 39, 231
Levanzo, 17, 83, 243, 249
Licata, 38, 104
Lilybée, 23, 37, 88, 98
Linguaglossa, 136
Linosa, 243, 256
Lipari, 220, 243, 245, 247, 258, 260, 262, 271
Liparos, 176
Longanos, 224

Lucie, 49, 165
Malophoros, 101
Malte, 18
Manicalunga, 101
Marathon, 190
Marettimo, 83, 243, 249
Marina di Modica, 38
Marina di Palma, 38
Marina di Ragusa, 38
Marsala, 37, 83, 84, 98, 99
Marsyas, 172
Martorana, 15, 29, 61
Mattanza, 36, 243, 244, 252
Mazara del Vallo, 29
Mazzarino, 182
Mazzarò, 39
Méditerranée, 8, 17, 27, 34, 35, 244, 261, 271
Mégallis, 200, 201
Mégariens, 20, 154, 174
Messéné, 219
Messine, 15, 22, 28-30, 35, 38, 39, 72, 176, 219-222, 229, 232
Milazzo, 220, 224
Minos, 104
Mnémosyne, 10, 261
Modica, 38, 121, 124
Modione, 100
Mondello, 36, 57
Mongibello, 142
Mongiò, 226
Monreale, 15, 29, 36, 57, 69
Mont Aria, 258
Mont Catalfano, 75
Mont Taurus, 231
Mont Vénus, 134, 218, 237, 274
Montagnola, 263
Monte Bubbonia, 182
Monte Pellegrino, 17
Monte Venere, 237

Morgantina, 194, 212
Mosaïques, 24, 29, 31, 57, 62, 69, 71, 96, 99, 202, 227, 228
Motyé, 20, 37, 83, 88, 96, 98
Muses, 7, 10, 48, 118, 156, 261
Musulmans, 26, 41
Mylai, 20, 220, 224, 271
Naxos, 9, 20, 39, 54, 55, 135, 176, 189, 220, 229, 234-236, 239-241
Néapolis, 153, 165
Nebrodi, 220
Néolithique, 17, 89
Nérée, 145
Néron, 25
Nicolosi, 136
Nicosia, 194
Niké, 54, 55
Nizza, 39
Normands, 2, 9, 13, 26-28, 30, 41, 46, 57, 59, 61, 62, 65, 79, 89, 121, 135, 136, 153, 220, 258
Noto, 18, 39
Numa, 185
Oanis, 130
Océanides, 145
Octavien, 231
Opis, 81
Orion, 81
Orphée, 208
Ortygie, 83, 151, 153, 155, 157, 165
Ostrogoths, 25
Ouranos, 48, 221, 261
Ovide, 4, 144, 198, 222, 223
Palagonia, 72
Palais Abatelli, 30
Palatin, 19, 170, 171, 176
Palazzolo Acreide, 32, 39, 154, 169

Paléolithique, 17, 249
Palerme, 15, 17, 18, 24, 27-31, 49, 57-61, 63, 65-67, 69, 72, 78, 97, 243, 244, 247, 270, 272, 274
Paliques, 47, 201
Pallas, 130
Pan, 148, 207
Panaitios, 176
Panarea, 243, 258, 264
Panormos, 20, 57
Pantalica, 19, 39, 120, 154, 174
Pantelleria, 243, 245, 254
Parques, 233
Paternò, 28
Patti, 36
Péloponnèse, 18, 20, 34, 219
Peloritani, 220
Pénates, 76
Pepoli, 88
Pergusa, 50, 195, 196
Périclès, 20
Perséphone, 43, 50, 111, 113, 114, 160, 196, 197
Perses, 163
Phaéton, 224
Phalaris, 20, 24, 103
Phébus, 260
Phèdre, 24, 94, 95
Phéniciens, 9, 19, 20, 46, 57, 59, 75, 76, 79, 89, 96, 135, 173, 254, 271
Philistos, 19, 22
Philoxène, 22
Phintias, 188
Phrygie, 170, 172
Piazza Armerina, 24, 194, 202, 272
Pierre d'Aragon, 42
Pietrarossa, 181, 185

Pindare, 13, 22, 111, 129, 130, 151, 152, 155, 156, 189
Pirandello, 102, 117, 118, 274
Place Pretoria, 60
Platon, 22
Pline, 226, 257
Ploutos, 172
Pluton, 43, 87
Poenicusa, 263
Polybe, 103
Polyphème, 50, 144, 147, 206
Pompée, 219, 231
Pontos, 145
Porto Empédocle, 38
Poséidon, 76, 144, 222
Pozzallo, 38
Prodicos, 178
Prométhée, 11, 93, 135, 221
Proserpine, 10, 43, 49, 50
Protagoras, 178
Psaumis, 129
Ptolémée, 229, 257
Pulcinella, 72
Punta del Corvo, 264
Punta Peloro, 223
Pyrros, 21
Ragusa, 38, 121, 123, 124
Ragusa Ibla, 124
Raguse, 15, 30, 38, 121-124
Randazzo, 136, 181
Regalbuto, 215
Régulus, 226
Rhéa, 171, 172
Rhodiens, 20, 188
Riposto, 136
Robert Guiscard, 26
Roccalumera, 39
Roche d'Athéna, 104, 113
Roger, 25-27, 29, 59, 61, 62, 79, 181, 194, 223, 254

Roger II, 26, 27, 29, 59, 61, 62, 79
Romains, 2, 9, 13, 23-25, 41, 56-59, 75, 76, 79, 87, 89, 98, 104, 106, 129, 168, 169, 173, 176, 193, 201, 204, 212, 216, 224, 226, 234, 254, 258, 261
Rome, 4, 6, 19, 23-25, 28, 35, 41, 47, 103, 153, 155, 165, 170, 171, 185, 193, 203, 219, 272, 273
Rosalie, 49, 59, 66, 67
S. Cataldo, 182
Sabucina, 182
Saint Paul, 165
Saint Philippe, 47
Saint Pierre, 253
Sainte Agathe, 47, 49, 137, 138
Sainte Lucie, 49, 165
Sainte Rosalie, 49, 59, 66
Saint-Jean-des-Ermites, 29, 62
Salamine, 77, 190
Salina, 243, 258, 262
Samson, 71
San Cataldo, 29, 61
San Leone, 38
San Mauro, 176
Santa Caterina, 60
Santa Teresa, 39, 274
Santoni, 169
Sappho, 22
Sardaigne, 17, 73, 270
Sarrasins, 37, 41, 75, 98, 99, 181, 217, 226, 229, 234, 256, 258
Satan, 52
Scaletta Zanclea, 39
Sciacca, 15, 38
Sciara del fuoco, 265
Scicli, 38, 122
Scipion, 23

Scoglitti, 38
Scylla, 39, 222
Ségeste, 21, 22, 31, 37, 82-84, 92
Sélinonte, 20-22, 31, 37, 83, 84, 88, 92, 100, 101, 104, 152
Sélinos, 100, 101
Serra Vancura, 264
Sicanes, 9, 18, 19, 46, 93, 104, 114, 121, 178, 193
Sicanie, 18, 46
Sicélos, 19
Sicile, 2, 6, 8, 10, 13, 14, 17-27, 30, 31, 33-35, 39, 41, 42, 44, 46, 47, 49-52, 55, 59, 72, 73, 79, 82-85, 93, 96, 100, 103, 106, 120, 123-125, 127, 131, 136, 146, 151-153, 159, 170, 173, 176, 178, 180, 182, 183, 185, 186, 188, 194, 195, 219-221, 226, 228, 232, 239, 243, 244, 249, 250, 256, 258, 267, 269-272, 274
Siciliotes, 39, 66, 151
Sicules, 9, 18-20, 39, 46, 114, 132, 135, 151, 178, 193, 201, 215, 234
Sidon, 237
Sikèles, 18
Silius Italicus, 57
Simonide, 22, 152, 155
Sirènes, 39, 48, 163, 264
Sofiana, 182
Soloeis, 75
Solonte, 20, 24, 58, 76, 177
Solous, 75
Solus, 36, 75
Sophocle, 156
Sophron, 22, 155
Sparte, 20, 79
Stagnone, 37

Stentinello, 17
Stésichore, 22
Strabon, 257
Stromboli, 243, 246, 258, 264, 265
Strombolicchio, 265
Strongylos, 264
Styx, 100
Sutera, 182
Symaithos, 135, 176
Syraco, 151
Syracuse, 2, 14, 15, 17, 18, 20-25, 30, 31, 38, 41, 48, 49, 77, 83, 96, 115, 122, 129, 135, 149, 151-156, 158, 160-165, 167, 169, 171, 176, 177, 188, 189, 193, 216, 219, 224, 226, 234, 236, 239, 272
Tancrède de Hauteville, 25, 26
Tanit, 76, 97
Taormine, 9, 15, 20, 22, 24, 31, 39, 218, 220, 229, 231, 232, 234-237, 239, 241
Tauride, 80
Tauroménion, 22
Téisias, 22
Télamon, 109
Terasia, 258
Térias, 176
Termini Imerese, 24, 58
Thapsos, 18, 154
Thèbes, 105
Théoclès, 239
Théocrite, 22, 25, 149, 155, 157, 158, 236
Thermessa, 258
Théron, 24, 77, 103, 151, 189
Thésée, 80, 94, 95
Thrinacie, 34
Thuclès, 239

Thucydide, 18, 19, 46, 178
Tibère, 24
Timée, 22
Timoléon, 152, 153, 163, 188
Tindari, 18, 220, 226
Tophet, 96
Torione, 263
Torre di Cavallo, 223
Torre Faro, 220
Trapani, 15, 29, 30, 83, 84, 88, 183, 243
Trasybule, 152
Trecastagni, 136
Trinacrie, 1, 2, 4, 5, 9, 14, 34, 46, 50, 98, 99, 158, 173, 198, 228
Triptolème, 179, 186
Troina, 194
Trôs, 212
Troyens, 18, 46, 93
Tyché, 153, 165
Tyndarion, 234
Tyndaris, 24, 36, 220, 226, 227
Typhée, 135, 257
Typhon, 51, 52, 257
Ulysse, 176, 206, 224, 225, 247
Ustica, 243, 244, 247
Vandales, 25
Vassallaggi, 182
Vénus, 10, 22, 24, 80, 81, 83, 89, 94, 121, 134, 149, 158, 159, 202, 218, 237, 261, 274
Vénus Érycine, 24, 89
Vêpres, 29, 42, 59
Verrès, 24, 106

Vesper, 89
Villa Aurea, 106
Villa de Casale, 24
Villaseta, 102, 118
Virgile, 2, 4, 24, 25, 46, 51, 83, 84, 86, 87, 92, 129, 149, 157, 158, 181, 219
Vittoria, 122
Vizzini, 136
Vucceria, 64
Vulcain, 50, 112, 142, 143, 245, 259
Vulcanello, 258
Vulcano, 243, 258, 260
Vulcano vecchio, 258
Wisigoths, 25
Xénarque, 22
Xénophane, 22, 152, 155
Xénophon, 178
Xouthia, 19
Zafferana, 136
Zafferano, 76
Zama, 23
Zancle, 20, 77, 176, 189, 219, 224, 273
Zéphyr, 156, 161
Zeus, 4, 10, 13, 47, 52, 53, 72, 76, 80, 110, 128, 129, 185, 214, 225, 257
Zisa,, 28, 65
Ziz, 57, 59
Zosime, 48

TABLE DES MATIÈRES

AVANT-PROPOS 9

INTRODUCTION 13

L'ÎLE AUX CENT VISAGES 17

    LA SICILE AVANT LES GRECS 17
    LA SICILE GRECQUE 19
    LA SICILE ROMAINE 23
    LA SICILE NORMANDE 25
    APRÈS LES NORMANDS 30

LA SICILE ET LES SICILIENS 33

    LE DIAMANT 34
    LE SORTILÈGE 35
    LE SICILIEN 41
    LE PRINTEMPS 44
    LA VOIX DU PASSÉ 46
    D'UNE SICILE A L'AUTRE 50
    LA FILLE DE NAXOS 54

PALERME ET SA PROVINCE 57

    UNE FLEUR DE PHÉNICIE 59
    LIEUX DE DÉLICES 65
    ROSALIE 66
    LA BIBLE EN IMAGES 69
    UN POÈME EN COLONNETTES 71
    LES MONSTRES DE PALAGONIA 72
    SIX COLONNES DORIQUES 75
    LES RESTES D'UNE VICTOIRE 77
    LE ROCHER 79

TRAPANI ET SA PROVINCE 83

    À LA MÉMOIRE D'ANCHISE 85
    LA DANSEUSE 88
    UNE COLOMBE DORÉE 89
    UNE ÉMOUVANTE SOLITUDE 92
    AU SOMMET DE LA COLLINE 94
    LES ENFANTS DE LA MORT 96
    UNE JAMBE DE TRINACRIE 98
    LA VILLE D'ACHE 100

AGRIGENTE ET SA PROVINCE 103

    LE SOLEIL SUR LES TEMPLES 105
    LE REPOS D'UN TÉLAMON 109
    AU FOND DE LA TERRASSE 111
    UN SANCTUAIRE D'EAU 113
    LA SOURCE D'ESCULAPE 115
    LE PIN SOLITAIRE 117

RAGUSE ET SA PROVINCE 121

    RAGUSE, LA DISCRÈTE 123
    LA FONTAINE 125
    DONNAFUGATA 127
    LE RETOUR DE CAMARINA 129
    LES MORTS D'ISPICA 131

CATANE ET SA PROVINCE 135

    LA VILLE D'AGATHE 137
    UN JARDIN DANS LE FEU 140
    LES SAISONS DU VOLCAN 142
    L'AUTOMNE DES CRATÈRES 143
    ACIS ET GALATÉE 144

SYRACUSE ET SA PROVINCE 151

    LA VILLE BLANCHE 155
    MYTHE ET POÉSIE 156
    UNE FEMME EN MARBRE 158
    LA SOURCE CYANÉ 160
    VIEUX GRADINS 163
    L'OREILLE DE DENYS 164
    LA MORT EST REINE 165
    L'EURYALE 167
    LES SCULPTURES D'ACRAI 169
    LES TOMBEAUX DE PANTALICA 174
    LES GLOIRES DE LÉONTINOI 176

CALTANISSÈTE ET SA PROVINCE 181

    LA VILLE DE SOUFRE 183
    LA SARRASINE 185
    LE BLÉ DE CÉRÈS 186
    L'AURIGE DE GÉLA 188

ENNA ET SA PROVINCE 193

    LE ROCHER DE CÉRÈS 195
    LE GOÛT DES SIÈCLES 198
    LE BERGER SYRIEN 200
    LA PROMENADE DES MOSAÏQUES 202
    L'ÉCHANSON DES DIEUX 212
    UN POT DE ROMARIN 215

MESSINE ET SA PROVINCE 219

    LA FAUCILLE DE SICILE 221
    LES VACHES DU SOLEIL 224
    NIGRA SUM, SED FORMOSA 226
    LE CHÂTEAU 229
    LES JASMINS DE SANT'ALESSIO 232
    LES COULEURS DE LA MAGIE 234
    LE THÉÂTRE 236
    LE MONT VÉNUS 237

LES JARDINS DE NAXOS **239**

LA SICILE ET SES SATELLITES **243**

    LES PERLES DE LA MER **244**
    UNE ÉOLIENNE ÉGARÉE **247**
    LA GROTTE DES ÉGADES **249**
    LA CHAMBRE DE LA MORT **252**
    LA VIGNE DE PANTELLERIA **254**
    PRISONNIER D'UN PARADIS **256**
    SEPT ÉTOILES DANS LA MER **258**

BIBLIOGRAPHIE **269**

TABLE DES ILLUSTRATIONS **275**

INDEX GÉNÉRAL **277**

TABLE DES MATIÈRES **287**